時代の変わり目の静岡

――コラム・2013～2020

はじめに

昭和の時代は一九八九年一月七日、昭和天皇の崩御に伴い終焉を迎えた。そして、翌一月八日から改元がなされ、新たに平成の時代が幕を開けた。平成の時代は、ちょうど二〇世紀から二一世紀にかけて、二〇一九年四月三〇日に第一二五代天皇明仁が退位するまで三一年余り続いた。

私自身は、平成の時代のほとんどを大学教員として過ごしたが、地方政治や地方行政を専門とする中で、当初は名古屋に住み、その後は静岡に移って、多くの経験を積んできた。それは、大学という場での教育研究もさることながら、専門とする学問の性格上、学外に出ての仕事も多く、時代の流れの中で地域社会がどのように変貌を遂げていくのかを垣間見ることができた。このことは私にとってはかけがえのない経験であったと思っている。

そのような経験の一端を中日新聞と朝日新聞の静岡面（朝刊）において、コラム形式で執筆する機会をいただいた。中日新聞は二〇一三年一月より「静岡発こう読む」というコラム欄で現在も執筆させていただいている。また、朝日新聞の場合は二〇一七年二月より二〇一九年三月まで二年間コラム欄「だもんで」を執筆させていただいた。本書には、私自身が両紙に掲載させていただいたコラムを収めている。

　コラムは時宜にかなったテーマを限られた字数の中で簡潔に記す必要があり、コラム執筆当初は戸惑いもあったが、何とか今日まで執筆を続けることができた。本書では、コラムで執筆した内容を六つのジャンルに編集し直している。私自身の自己紹介から始まり、日本と世界の政治・経済・社会情勢への言及。そして、地元静岡の政治・行政に関して、私自身が触れたかった事。また、ＮＰＯ活動にも取り組んできたことから、そのようなまなざしで地域社会を鳥瞰したときに感じたことを記している。振り返れば、私自身の地域社会とのかかわりも深く、その中で多くの人々との出会いがあった。その一環として、近年は生活困窮者支援を行う「フードバンクふじのくに」に関わっている。フードバンクがどのような活動を展開し、何を課題としているのか知っていただきたくて、あえて一つのジャンルを設けてみた。最後には、私の本業である大学教員として、教育研究に携わる中から見えてきたことをまとめている。私が身を置く国立大学も、今は大きな変化の時を迎えている。国が推進する地方創生の重要な拠点として、地方国立大学には地域のプラットフォームの役割を発揮することが求められており、その実現に向けて様々な取り組みが進められている。そのような状況の中にあっても、変わらないと思うのは大学という高等教育機関が果たすべき役割である。つまり、大学における研究成果をもとに地域に貢献する人材を育てること。さらに、大学が長い歴史の中で培ってきた研究のストック＝知の財産を地域社会に還元し、地域が抱える様々な課題解決に大きく貢献することである。

このように本書は、私自身が学窓から社会を眺望した時に感じたことや考えたことをコラムという形で表現したものを収めている。拙いものであるが、平成後期から令和初期という時代状況のなかで、日本や「静岡」という一つの地域がどのように時を刻んできたのか、一大学人の備忘録として読んでいただけると幸いである。

なお、本書では、新聞紙面のコラムを収める形をとることから、できる限り掲載された時の息吹をそのまま伝えたいと考え、新聞各社の執筆の作法に従っている。特に年号や数字の標記などは不ぞろいで統一感を欠き、読みにくいかもしれないが、それはお許しいただきたい。

目次

はじめに……3

一、**自己のこと**……11

刻々と変わる静岡／「地方自治と私」原点は一冊の本

二、**日本と世界の政治・経済・社会情勢**……17

マニフェストと選挙／２０１３参院選雑感／政権交代から1年／消費税８％／住民投票に思う／衆院解散の背景／衆議院選と選挙戦術／直接民主主義の実験／18歳選挙権／「自己決定権」の重さ／安全保障関連法成立／パリ同時多発テロ／政治家と有権者／２０１６参院選／政務活動費の問題／アメリカ大統領選／トランプ政権の発進／ふるさと納税の本来の趣旨／急速に進む野党再編／衆院選の結果から／野党再編劇に翻弄された有権者／地方創生の条件／男女の候補者数「均等」にするには／割れた地方票 国民の声を謙虚に

／新元号の時代　市民が政治動かして／「令和」最初の国政選挙／コロナ禍の選挙戦／出口戦略

三、静岡における政治・行政の諸相……63

地方分権時代の議会改革／県知事選を振り返る／開港5周年　静岡空港／リニア中央新幹線／統一地方選と投票率／「県都構想」の行方／女性市長との対談／２０１６御前崎市長選／下田市長選／県予算案　川勝知事のビジョンに思う／県民自身の川勝県政評価も大切／地方議会　市民への情報提供が鍵／気になる投票率／県政継続か刷新か　政策論争に期待／県知事選の構図／政策論じ合える環境に力入れる／２０１７県知事選告示／対抗ビジョン示せず　無効票が増加／浜松市の行政区再編／「平成」最後の統一地方選

四、地域をつくり、ささえる人々としくみ――日本と海外――……97

老人クラブの刷新／インドネシア訪問／大地震への備え／超高齢社会を生きる／女性への期待／公共サービス改革の最前線／「新しい公共」と地域／「人口移動報告」から／災害後の回復力／若年女性が減少する地方／先人の言葉に学ぶ／津波被害からの復興の姿／休眠預金の活用／サンフランシスコ住宅

事情／熊本地震から1カ月／近未来社会に向けての実験場／静岡空港を使う／「サードセクター」成熟が重要／コストコ体験／ポートランドに学ぶ「持続可能性」／厳冬のシカゴ／男女共同参画とまちづくり／ＮＰＯ法20年 活動への理解広がる／県内の「まちづくり」学び会う場を／行政、ボランティア…みな復興の力／過去と現代が凝縮 魅せる「まち」／災害とボランティア／老舗百貨店の閉店に思う／ポートランドから学ぶこと／台風と停電／ＳＤＧｓの取り組み／「住民協議会」市民に不可欠な場／新時代の「男女共同参画」／台風と水害への備え／パンデミック

五、フードバンクの取り組み …………………… 155

フードバンクふじのくに／フードバンクふじのくに 設立から1年／フードバンクに地域社会の支援を／「食品ロス削減推進法」成立／「フードバンクふじのくに」の５年

六、大学人のまなざし …………………… 165

現地で学ぶ／夏休み／憂えること／年の瀬／巣立ち／リオデジャネイロ五輪／「地域創造学環」の取り組み／クリスマスの過ごし方／入学式で思う「知

の共同体」の発展／川根本町議会とゼミ生の交流／何かに打ち込み　有意義な夏休みを／若者の進学支援　何ができるか考える／運転免許証　自主返納／学生と県議が意見交換　新たな視点も／クリスマスを迎える／受験シーズン到来　万全の態勢で臨む／文系学部の社会への有益性示す研究／春休み　読書で新たな世界を知って／人生１００年時代の学び／「行政学」の事例　ニュースを活用／学生スポーツと指導者／歴史に彩られた同窓会／知られざる大学教員の夏休み／秋の夜長に「考古学」のススメ／大学の夜間教育　より魅力のあるものに／粘り強く卒論作成　最後は喜び共有／海外で異文化に触れて／大学の社会的責任／地道な研究　必ずや地域のために／安全運転の心得／中国の大学との交流／夜間教育実施大学の今／中曽根康弘元首相関連資料／大学教員と講義／人文・社会科学の今後／コロナ禍と大学の授業

おわりに……224

著者プロフィール……228

一、自己のこと

刻々と変わる静岡

新年より、本欄（「静岡発こう読む」）を担当させていただくことになった。私にとって初回でもあるので、少しだけ自己紹介をさせていただく。

私の専門は、政治学、行政学、地方自治、ＮＰＯである。現在の勤務先である静岡大学へは、一九九六年年四月に赴任し、それから間もなく十七年が経過する。その間、二〇〇〇年四月から〇一年九月末まで、ニューヨーク市立大学都市調査センターの客員研究員として在外研究に従事した。帰国直前に９・11のテロ事件に遭遇し、ニューヨーカーとともに悲惨な事件に心を痛めたことが、今でも鮮明に思い出される。

実は、私は大学院で研究生活を始めた時から、ニューヨーク市政分析をテーマにしていた。そのため、名古屋の私立大学から静岡大学へ異動してからも、関心はアメリカ大都市の政治行政にあったが、どこかでそれまでの研究に区切りをつけたいと考えていた。そんな折、どうせ在外研究に行くのであれば、世界都市の世紀末と世紀初頭の姿を自分の目でウォッチしたいと思い、二〇〇〇年に日本を旅立った訳である。

ニューヨークでは、ニューヨーク市政分析のエキスパートであるジョン・モレンコフ教授の御厚意で、私自身の研究にさまざまなアドバイスをいただくことができた。加えて、研究に必要な資料を紹介していただき、その収集に励んだ。その後、一年半に及ぶ在外研究を終えて帰国したが、収集した資料は段ボール二十箱ほどになった。しかし、その資料は今も紐《ひも》解《と》かれることなく、私の研究室に積まれたままだ。いつか読みこなそうと思っているが、そう思いつつすでに十一年が経過してしまった。

帰国後、私の仕事は日本の地方政治や地方行政に関わることが多くなった。二〇〇〇年の地方分権一括法の施行により、日本の国の形も「分権型社会」構築という方向に進み始めている。このような時代に、静岡という地に住み、地方からこの国の変化を見ることも私にとっては大変興味深いことである。

今後も刻々と変わる静岡の姿を、私自身の目から見て、それがどのように映るのか、それを皆様にお伝えできればと考えている。

中日新聞静岡版　二〇一三年一月二〇日

「地方自治と私」原点は一冊の本

私は自身のプロフィールを書く場合、専門を行政学や地方自治論としている。そして、静岡大学でもそれらの科目を教えている。日本で行政学は、どのような学部で教えられているのかというと、主には法学部や政経学部であるが、近年は政策系の学部のカリキュラムの中にも入れられるようになった。

現代の行政学は政治学から枝分かれした学問だと認識されているが、関わりのある学問分野は大変広く、法律学、経済学、経営学、社会学、さらには工学や農学をはじめとする様々な領域とも関係することがある。とにかく間口の広い学問だと言える。私は行政学の中でも、地方自治のことに関心を持ち、大学院以来研究してきた。

◇

私が行政学、それも地方自治を志すことになった背景には、一冊の本の影響がある。その本は、大分古くなってしまったが、今でも大切にしているものの一つだ。菊池武雄著『自分たちで生命を守った村』（岩波新書、１９６８年）がそれである。偶然にも書店で見つけた本だった。

この本は、岩手県中西部に位置する和賀郡沢内村（現在は合併により西和賀町）で、57年から８年間にわたって村長を務めた深沢晟雄（ふかさわまさお）さんの村政を素材にしたものである。

当時の沢内村は、冬ともなれば3メートル近い雪に覆われ、交通も途絶。そのため、病気になっても医療が十分に施されず命を落とした人も多かったが、そのような状況の中で「住民の生命を守るために私の命を賭けよう」と自ら奮い立ち村長になったのが深沢さんだった。

そして、乏しい財源の中にあっても、60年に65歳以上の医療費無料化を、そして翌61年には、１歳未満の乳児の医療費を無料化し、さらに医療費無料の対象年齢を65歳から60歳まで引き下げたのである。そのような取り組みは、まさに日本で最初のものであった。62年には、乳児の死亡率をゼロにするという快挙を成し遂げた。そして、その後も村ぐるみの保健活動を展開し、まさに「自分たちで生命を守った村」をつくりあげた。そのことにより、全国に沢内村の名が知られるようになったのである。

深沢さんは自身の命を賭けて村政にあたったが、村長在職中に病魔（食道がん）に侵され、ついに59歳の生涯を終えた。深沢さんの永遠の旅立ちは多くの村人から惜しまれ、棺を乗せた車が村に入った時、吹雪にも関わらず2千人近い村人が沿道に列をなして出迎えたが、「雪と涙で、だれの顔もぬれていた」という。私はこの本を読んで感動を覚えた。そのことを今でも思い出す。それが私の地方自治研究の原点でもある。

◇

さて、今年も静岡県内では、夏に予定されている県知事選挙をはじめ、1月に行われた菊川市・御殿場両市長選挙だけでなく、13市町で首長選挙が行われる見通し。加えてすでに改選された菊川市議会以外に、3月の静岡市議選など10月までに12の市町（うち1市は補選）で議会選挙が行われる予定だ。

私たちは主権者として、これら首長選挙や議会選挙で、投票により自らの意志を示す機会を見逃さないようにしたい。特に、首長選挙においては、候補者がどのような取り組みをしようとしているのか、それにより、私たちの生活がどのようになるのか、といった視点で主張に耳を傾けてみることも大切だと思う。

私たちが望む首長は、自身の名誉や名声のためではなく、粉骨砕身して住民のために働いてくれる人だ。そのような首長を育てるのも私たち主権者なのかもしれない。選挙権年齢が18歳に引き下げられた今、どうすれば私たちはそのような目利きの主権者になれるのか。それは今後も私の研究課題であり続けることだろう。

朝日新聞静岡版　二〇一七年二月二日

二、日本と世界の政治・経済・社会情勢

マニフェストと選挙

今年も間もなく選挙の季節がやってくる。ミニ統一地方選挙、静岡県知事選挙、夏には参議院選挙が予定されている。最近の選挙でよく聞く言葉、それは「マニフェスト」であろう。もともと日本では、この言葉にあまりなじみがなかった。しかし、二〇〇三年の統一地方選挙で当時の北川正恭三重県知事が呼びかけ、十名を超える首長候補者がマニフェストをもとに選挙戦を戦ったことが発端になり、日本でも浸透してきた。

マニフェストには、国政選挙の際、中央の政党が作成するマニフェスト（パーティー・マニフェスト）と首長選挙で使われるローカル・マニフェストの二つがあり「政権公約」とも訳される。衆議院選挙や首長選挙は、まさに政権をかけた戦いになることから、選挙戦での勝利の後、何をするのかを有権者に明確に示し、それに基づいて審判を仰ぐことを想定した選挙用のツール、それがマニフェストである。

このマニフェスト、もともと評価されることを前提に作られたものである。例えば、ローカル・マニフェストの場合、候補者はマニフェストを作成し選挙に出馬。当選後には、このマニフェストを実現するために最大限の力を尽くす。そして、中間年に自己ないし外部評価を行い、改善を実施。そして四年後の選挙で再出馬する際には、前回選挙のマニフェストをもとに新たなマニフェストを有権者に提示して審判を仰ぐ。これがマニフェストサイクルと言われているものである。

選挙の際、「あれもこれも」盛り込んだ選挙公約ではなく、限られた任期の中で、何を実現するのかということを明確に絞り込んだ政策を有権者と約束すること。それがマニフェストの本質である。

静岡県では、川勝知事のマニフェストをめぐり、県議会で自民と民主双方の会派の評価が出そろった。行政の監視役としての評価であるから大切にしたいところであるが、果たして私たち有権者はそれをどのように受け止めたらよいのであろうか。その悩みはしばらく続きそうである。

中日新聞静岡版　二〇一三年三月一七日

２０１３参院選雑感

先週行われた参議院選挙では、当初の予想通り自民党の圧勝に終わった。自民党が六十五議席（改選前三十四議席）を獲得したのに対し、民主党は十七議席（改選前四十四議席）しか獲得することができず、惨敗を喫した。参議院の定数二四二に対し、非改選議席を含む自民・公明両党は百三十五議席となり、〇七年参院選以来続いた衆参両院の「ねじれ」が解消された。

今回の参院選では、「ねじれ」の解消や安倍政権の経済政策（アベノミクス）への評価が大きな争点とされた。それ以外にもＴＰＰ（環太平洋連携協定）や消費税増税、原発の再稼働、憲法改正など日本が抱える懸案事項も争点とされたが、それらは十分に議論されることはなかったように感じた。加えて投票率も52・61％と振るわず、過去三番目の低さであった。民主党をはじめ野党が自民党に対する有効な対立軸を提示することができず、有権者には限られた選択肢しかなかったことから、選挙への関心が高まらなかったことも背景として考えられるだろう。今回の選挙において問われたことは、私たちの日常生活に影響をもたらすことも多く、政策論争が低調に終わったことは残念でならない。

　静岡選挙区では、自民・牧野京夫氏と民主・榛葉賀津也氏の現職二人が順当に当選した。静岡県内では、六月の県知事選挙で自民党は推薦候補が現職に大敗したが、今回はその轍《てつ》を踏まないよう、強固な組織力を活《い》かして選挙戦を戦い、トップ当選を果たした。しかし、県内の無党派層の投票行動は比例代表において自民党が民主党を上回ったものの差は小さく、選挙区では民主・榛葉氏の方が自民・牧野氏よりも多くの支持を得た。無党派層は選挙区において、政党よりも候補者の実績や政治家としての個人的資質とそれへの期待感を優先したのかもしれない。

　ところで、今回の選挙からインターネットの使用が解禁されたが、立候補者と有権者双方とも十分に使いこなすことはできなかったようだ。今後インターネットの活用が定着すれば、選挙で大きな威力を発揮することは間違いなく、選挙の情景も変わることだろう。

中日新聞静岡版　二〇一三年七月二八日

政権交代から1年

昨年十二月十六日の衆議院総選挙から一年。野党だった自民党が二百九十四議席を獲得し圧勝。民主党に代わって政権に返り咲いた。そして、十二月二十六日には第二次安倍政権がスタートした。二〇〇九年夏と昨年末の総選挙の双方で政権交代が起きた。日本においても選挙による本格的な政権交代が実現したことは望ましいことである。しかし、選挙結果がもたらした構図は自民党という巨大政党とそれに対抗できるだけの力を欠いた野党勢力というものである。このような事態は決して望ましいとは言えないであろう。

確かに、安倍政権への国民の期待は大きなものがある。というのも、〇九年総選挙で誕生した民主党政権は、未熟な政権運営から国民の信頼を失墜して崩壊してしまったのであるから、当然のことであろう。

安倍首相は就任直後から積極的に景気対策に取り組んできた。それがアベノミクスと称されている一連の経済政策である。確かにこの一年で円高が是正され、株高も手伝って、景気が回復基調にあることを国民も感じ始め、それが安倍政権への高い支持率につながっていた。

しかし、十二月六日の「特定秘密保護法」の与党自民党による強行採決から潮目が変わりつつある。

国の安全保障上の秘密の漏洩《ろうえい》を防ぐことは確かに必要であり、そのことに異論はないが、一方でこの法律は憲法で保障された「国民の知る権利」を制約する可能性があることを認識しなければならない。それであるがゆえに、国会という場において慎重な審議が求められたのであるが、今回はそれがかなわなかった。

このような自民党の対応に対して世論は敏感に反応し、安倍政権の支持率が下がり始めている。「数の力」を背景に「憲法改正」までもくろむ可能性のある安倍政権の動きに、さすがの国民も警戒感を示し始めたようだ。

来年四月以降、「集団的自衛権」行使の問題も議論が本格化する。今後の日本の行く末を左右するような重要争点に対して、国民はどのような判断をすべきか、私たちの英知が求められている。

中日新聞静岡版　二〇一三年一二月一五日

消費税８％

四月一日より消費税が８％になった。今回は、一九九七年の消費税３％から５％への引き上げ以来十七年ぶりの増税である。増税直前の三月末、私も日用品などの駆け込み購入に走った。増税後には、駆け込み購入の反動による販売減が予想されていたが、今のところ想定の範囲内のようだ。前回は、増税後の四半期で実質経済成長率の落ち込みが結構大きかったことから、今回はその経験も生かされているのかもしれない。

ところで、今回の消費税引き上げに伴う増額分（約五兆円）は、全額が社会保障費として使われることになっている。現在、日本の累積債務は一千兆円を超えており、今後さらに増加する見込みの社会保障支出を賄うためには、どうしても増税が不可欠だというのが、消費税増税の論拠である。増額分五兆円のうち九割は現状の社会保障を維持するための経費として回され、新規の取り組みにはたった一割の五千億円である。したがって今後、社会保障政策を充実させていくためには、さらなる財源の確保が必要とされる。そのため、来年には消費税の増税も予定されている。

日本の消費税は、欧州に比較してまだ低い水準であると言われることが多い。しかし、消費税は税の逆進性（低所得者ほど負担が重い）が高い税であることから、欧米諸国では軽減税率を導入して、税の負担を緩和しようとしている。今回の増税に当たり軽減税率の議論はあったが、見送られてしまった。確かに軽減税率を導入すると徴収事務が複雑化する。しかし、食料品をはじめ生活必需品への軽減税率の導入はぜひとも実現してほしいものである。

消費税増税に当たっては歳出の見直しも不可欠であろう。投入された税金に対し、それに見合う成果が得られているのかという視点からの見直しが重要である。その際、納税者である私たちも、税の使われ方に注意の目を向ける必要があるだろう。

中日新聞静岡版　二〇一四年四月二〇日

住民投票に思う

今月一八日に、スコットランドの英国からの独立を問う住民投票が行われ、開票の結果、独立反対が多数を占めた（反対55・25％、賛成44・65％）。世論調査の結果では当初、独立反対派が優勢であったが、八月中旬の調査で独立賛成派が急速に支持を伸ばし、その後賛成・反対が拮抗《きっこう》していた。そのため、世界中の人々がこの投票結果を、固唾《かたず》を呑んで見守ったのではないだろうか。

今回の住民投票は、スコットランドの将来を住民が自ら決めるという機会であったため住民の関心も高く、投票率は84・６％（登録有権者数四百三十万人）であった。多くの住民が投票所に足を運んだわけである。

住民投票に際し、投票は簡潔で独立に賛成か反対の二者択一で答えるものであった。簡潔であるが故に有権者の悩みも深かったと思われる。しかし、独立した場合、経済面での安定に期待を持つことができないという判断が多数を占め、これが今回の結果を導いたようだ。とはいえ、「独立」という争点をめぐり、民主的な手続きに従って賛否両論が交わされ、有権者もその議論に関わり自らの意思を明らかに示した。私は、そのような情景に成熟した民主主義の姿を見る思いがした。

ところで、最近日本でも地域にとって大きな争点をめぐり、住民投票が実施されるようになった。

現在のところ、投票結果に拘束力はなく、尊重するにとどまっているが、首長や議会にとっても住民投票の結果は重い意味を持つだろう。住民投票は、「代議制を否定するものだ」として反対する人々もいるが、四年に一度しか行われない地方選挙ではなかなか吸収しえない民意もある。住民投票はその民意を明らかにする有意義な機会であるともいえる。

今回のスコットランドの経験は、日本における今後の住民投票のあり方にも、学ぶ点が多かったように感じた。

中日新聞静岡版　二〇一四年九月二八日

衆院解散の背景

衆議院が解散された。いよいよ選挙モードだ。今度の選挙は十二月二日公示、十四日投開票である。ちょうど二年前も師走の選挙だった。その時は、二〇〇九年に政権交代を果たした民主党政権の統治能力の是非が争点の一つになった。国民は政権交代後の民主党の政権運営に失望し、再度自民党政権を選択した。〇九年、一二年と二回続けて政権交代が起きた。

ところで、今回の解散の背景には何があるのだろうか。

一つ目は「政治とカネ」の問題だ。九月に発足した安倍改造内閣の看板女性閣僚二人に「政治とカネ」の問題が発覚。結局二人とも辞任した。安倍首相も「任命責任」を認めざるをえなかった。野党の追及をかわすには解散により「改造失敗のリセット」が望ましかったこと。

二つ目は、十七日に発表された国内総生産（七月〜九月）の速報値が年率でマイナス1・6%という、予想以上に悪い数字が示されたことである。来年十月に予定されている消費税再増税（10%）については、景気が十分に回復しておらず、その時期を先延ばしする必要があり、そのために民意を問う必要があったこと。

三つ目は自民党にとってこの時期の解散・総選挙が有利だからだ。「政治とカネ」の問題が表面化したとはいえ、党支持率が大幅に減っていない。加えて、野党は選挙態勢が整っていないため、今選挙を行えば過半数を確保する可能性が高い。

以上のような背景があるとはいえ、有権者には今度の選挙に対する「大義」を疑問視する声も多い。しかし、私たちにとって大切なことは、この選挙を「アベノミクス」の是非という単一争点にすべきではないということだ。集団的自衛権、特定秘密保護法、原発再稼働、ＴＰＰ、東アジアにおける外交・防衛問題など、争点はたくさんある。どれも今後の日本にとって重要な課題である。

中日新聞静岡版　二〇一四年一一月二三日

衆議院選と選挙戦術

衆議院選挙が終わった。正直言って、最後まで盛り上がりの感じられない選挙だった。これといった「風」が吹くことなく、国民の関心も高まらなかった。そのため投票率は戦後最低の前回選挙をさらに更新し、52・66％であった。静岡県内の投票率に関して言えば、全国平均よりややましなものの55・61％で、やはり戦後最低となった。

選挙結果は、自民党の圧勝。自公両党を合わせた議席は三百二十五議席で野党は惨敗を喫した。まさに安倍晋三首相の戦術勝ちといったところだろう。今回の選挙は、最後まで安倍首相の掌《たなごころ》の中《うち》で踊らされていたというのが私の印象だ。

野党の大きな敗因の一つとして、自民党に対する有効な対立軸を打ち出し、国民的な関心を引き出すことができなかったことが挙げられるだろう。それに加え、小選挙区比例代表並立制という現行の選挙制度もある程度影響していると考えられる。

小選挙区制の一般的な特徴として、政権交代が起こりやすいという側面がある。そのため、英米のように二大政党が政権を競い合う構造になじむ。

ところが、今の日本政治は強大な自民党対多数の野党（一強多弱）という構図である。そのため、多数の野党が選挙協力を行い、統一候補の擁立という戦術を取って、自民党に対抗する受け皿を作らない限り、小選挙区で勝ち抜くのは難しいという現実があった。にもかかわらず、今回の選挙はあまりにも奇襲的で、野党の選挙準備はほとんど整っていなかった。さらに、野党間の選挙協力もうまく進めることができなかったのである。まさにその点を突いた安倍首相の選挙戦術が勝った、というのが今回の選挙の本質かもしれない。

解散のある衆議院は、「常在戦場」の心構えが必要だ。今後、野党には「小異を捨てて大同に就く」という、連携の取組みが必要だろう。

中日新聞静岡版　二〇一四年一二月二一日

直接民主主義の実験

最近、「住民投票」のことを聞くことが増えてきた。先週（十五日）、埼玉県所沢市で市立小中学校へのエアコン設置の賛否をめぐって住民投票が行われた。

事の発端は、所沢市が航空自衛隊入間基地の航空機騒音対策として、防衛省の補助を受け、市立小中学校二十九校へエアコン設置を決めたことに対し、二〇一一年に初当選した現・藤本市長が、それに待ったをかけたことである。

市長は、「快適さを最優先した生活を見直すべきだ」と主張し、従来の市の方針を転換した。それに対し、設置予定であった中学校の保護者らが立ち上がり、住民投票条例の制定を直接請求。市議会もその条例案を可決し、住民投票が実現した。

今回の住民投票では、投票結果に法的拘束力はないが、投票した者の賛否いずれかが投票資格者総数の三分の一以上に達したときは、「その結果の重みを斟酌《しんしゃく》しなければならない」（条例一一条）とされていた。投票結果は、賛成五万六千九百二十一票、反対三万四十七票で、賛成が反対を上回った。しかし、投票率が31・54％にとどまり、エアコン設置目安とされた投票資格者総数の三分の一に届かなかった。

この結果を受け、翌十六日に、市長は「結果を重く受け止める」としたが、最終的な判断は先送りされることになった。約四千万円をかけての住民投票であったが、すっきりとした決着とはならなかった。そのあたりが、今の日本における住民投票の現実なのかもしれない。

今日二十二日は、沖縄県与那国町でも陸上自衛隊配備の是非を問う住民投票が行われる。そして、五月には「大阪都構想」の是非を問う住民投票も予定されている。いずれも地域にとって極めて重い課題に対して民意を問うことになる。

このような直接民主主義の実験は、これからも各地で行われていく可能性が高い。主権者としてどうあるべきかが問われる。

中日新聞静岡版　二〇一五年二月二二日

18歳選挙権

日本でも十八歳選挙権が実現しそうだ。かねて選挙権年齢の引き下げが議論されてきたが、いよいよ国会で審議されることになった。今月五日、与野党六党が選挙権年齢を従来の「二十歳以上」から「十八歳以上」に引き下げる公職選挙法の改正案を再提出した。

この法案は昨年十一月の臨時国会にも提出されたが、衆院解散により廃案になっていたため、再提出となったのである。この改正案が可決されると、公布されてから一年後に施行され、その後の国政選挙から適用される。そのため、来年夏の参院選から初めて適用される可能性が高い。

選挙権年齢に関し、世界の主流は「十八歳以上」である。オーストリアなどでは選挙権年齢が十六歳以上とされており、日本は少数派だと言える。

今後、公職選挙法が改正されると、十代の有権者が登場することになるが、果たしてこの年代の若者は投票に行くのであろうか。昨年十二月の衆院選で全国の二十代前半（二十～二十四歳）の投票率は低く、29・72％と30％を割ってしまった。そのため、十代の有権者の投票率も低くなるのではと危惧されている。そこで重要となるのは、将来の有権者に対する政治教育の充実である。

日本の場合、教育基本法が学校における「政治的中立性」を規定していることから、特に公立校においては、十分な政治教育がなされてこなかった。しかし、学校教育において大切なことは、良き主権者を育てることでもある。

今後、小学校・中学校・高校とそれぞれのレベルに応じて、切れ目のない政治教育を施していくことが望まれる。十代から政治参加の重要性を学ぶのであれば、やがて彼らが有権者になった時に、地域のことばかりでなく、日本全体のことについても、自ら主体的に考え、意見を表明することができるようになるのではないかと期待する。

中日新聞静岡版　二〇一五年三月二二日

「自己決定権」の重さ

五月九、十日の二日間、日本行政学会の研究会が那覇市で開催され、それに出席するため八年ぶりに沖縄を訪れた。

研究会の初日、「沖縄をめぐる中央—地方関係」というタイトルのセッションが開かれた。開催地ならではのテーマということもあり、私も参加した。沖縄を中央—地方関係から論じようという趣旨であり、三名の大学教員がそれぞれの切り口から沖縄を論じた。その中でも、地元・琉球大学教員の島袋純さんの報告は迫力があった。

島袋さんは、「琉球」という国の歴史を概観するとともに、その長い歴史の中で、特に戦後に焦点を当て、沖縄がこれまでどのように扱われてきたのかを話した。

現在、基地を中心に日本における米軍の軍用施設の約四分の三は沖縄に集中している。島袋さんは、「米軍基地は、自己決定権を持つ沖縄の住民の権利を侵害している」ことを強調したが、その言葉は私の心に重く響いた。島袋さんの報告を聞いていて、私自身がいかに沖縄の現状に対して無関心であったのかを思い知らされたからだ。そして、さらに島袋さんの追及は続く。基地問題そのものが、「日本の無自覚の自己正当化と（沖縄に対する）構造的差別の実態」を明らかにするものであると断じたのである。

島袋さんの言葉には力があった。そして聞く者の心を確実にとらえた。私自身も「沖縄とそこに住む人々の思いに寄り添うこと」ができなかったことを恥じた。

沖縄には、そこに住む人々の主張があり、自己決定権がある。私たちは、これまで基地負担の軽減を訴える沖縄の人々の声にどれだけ耳を傾けてきただろうか。ひとごとで済ませてきただけではなかったか。

これから普天間飛行場の名護市辺野古への移設作業は進められていくことだろう。今、私たちにできることは、沖縄の人々の心に寄り添うことではないか。

中日新聞静岡版　二〇一五年五月一七日

安全保障関連法成立

今月十九日未明、参院本会議において、安全保障関連法が自民・公明両党などの賛成多数で可決され、成立した。

今回成立した法律は憲法学者や法律家の多くが「憲法違反」であると指摘しており、全く法的安定性を欠いたものである。このような法律を施行することは、日本のような民主主義国家において許されるものではない。今後、学者や法律家等による集団提訴が想定される。

ところで、これまで自民党の歴代内閣は、「集団的自衛権」は憲法上認められないという立場をとってきた。しかし、安倍首相は昨年七月に、閣議決定で従来の政府がとってきた憲法解釈を変更し、集団的自衛権の行使は「合憲」だとした。日本の安全保障の根幹に関わることを、閣議決定で変更するという暴挙に出たのである。これは、まさに憲法によって権力の濫用・暴走を食い止める「立憲主義」の根幹に触れるものであり、国民の多くも安倍政権のこのような姿勢に批判的である。

この法律は、日本の安全保障政策を大転換させ、自衛隊の活動範囲を大幅に拡大することにつながることから、日本が戦争に巻き込まれる危険性を危惧する国民が立ち上がった。一般市民に加え、学生を主体としてＳＥＡＬＤｓ（自由と民主主義のための学生緊急行動）の活動は人々の共感を誘った。

国会前に集合するデモ隊は、組織化されたものというよりも、自民党政権の対応に違和感を持った人々が自発的に加わった。この点が従来のデモとは異なるところだ。

安全保障関連法の成立に際しては、衆参両院とも「数」で上回る自民・公明両党に押し切られてしまったが、国民は今回のこの経験を忘れることはないだろう。来年の参院選前に決着し、余裕をもって選挙に臨むというのが自民党の戦略だと思うが、現状からすると、そのような思惑通りに進むとは到底考えられない。

中日新聞静岡版　二〇一五年九月二七日

パリ同時多発テロ

十三日にパリで同時多発テロが発生した。この事件で、今回も多数の一般市民が犠牲となった。心からご冥福を祈りたい。

テロ事件によって犠牲になるのは常に一般の市民であり、そのことに言いようのない悲しみを覚える。フランス当局によって事件の解明が進められるだろうが、「戦争」ではない再発の防止に力を尽くしてほしい。

実は、私も同時多発テロに遭遇したことがある。二〇〇一年九月十一日、ニューヨーク。当時、在外研究中でニューヨーク市内に在住していた。その日の朝はとてもきれいに晴れていた。その美しい朝からは想像できないようなテロ事件が起こった。世界的に有名なワールドトレードセンターのツインタワーへ、テロリストにハイジャックされた二機の民間航空機が飛び込み炎上。その後、ツインタワーが崩壊して、飛行機の搭乗者、タワー内にいた一般市民や救助に向かった消防士ら多数が犠牲となった。

事件が起こった時、私はアパートにいたので無事であったが、現地の友人からは「テロリストが付近にいるかもしれないので自宅を出るな」という電話を受け、初めてテロ事件の怖さを知った。

その日私は事件後からテレビにくぎ付けであったが、午後三時ごろだったと思う。テレビのコメンテーターが「今回の惨事はまだ背景が明らかになっていないので、親は子供たちに、事件に対する自分の判断を加えることなく、客観的事実だけを伝えるべきだ」というコメントを発していた。私はこのコメントが今でも忘れられない。それは、事件とは関係のない、一般のイスラムの人々に被害が及ぶことがないようにという配慮だったと受け止めた。

テロ事件の悲しみを乗り越えていくには、市民が皆で手を取り支えあっていく他に方法はない。そこには人種・民族、宗教を超えた市民間の連帯が必要だろう。今回の事件でもそれが大切だと思う。

中日新聞静岡版　二〇一五年一一月二二日

政治家と有権者

このところ、自民党国会議員や安倍内閣閣僚らによる不祥事や問題発言が相次いでいる。甘利明前経済再生担当大臣の金銭授受問題、宮崎謙介前衆議院議員の女性問題、丸山和也参議院議員の「アメリカ大統領は黒人」発言などは、最たるものである。

政治家は「公人」として、国民の収める税金から報酬を得、政治活動に資する費用が賄われている。そのことからすれば、政治家は日本のため、そして国民のために自らをささげるべき人であり、常に身の潔白さが求められるはずである。それにもかかわらず、倫理観のかけらも見られないような失態が続き、国民からすれば裏切られた思いが募る。

宮崎議員の場合は、衆議院で議員辞職が許可され、自民党も離党したが、事態の重さに鑑みれば当然のことだろう。失言や問題発言も起こっているが、当の本人たちは釈明、撤回・陳謝等、事態の収拾に追われている。問題となる発言を聞いていると、政治家としての資質や節度、理性といった面で適性を欠いていると思わざるを得ないことが明らかである。国民の不満や批判は、各種世論調査にも反映しているし、ネット上には国会議員の不祥事に対する国民の思いがストレートに投稿されている。

近年、選挙での投票率の低下が言われているが、それは国民の政治不信が一因でもある。そのような不信感の原因を作り出しているのも、政治家による後を絶たない不祥事の数々であろう。国、地方を問わず、政治家は襟を正してほしいものである。

実際、選挙の時に候補者の資質を見通したうえで投票することができればよいが、それは不可能に近い。とはいえ、有権者として、当選後の政治家の活動ぶりを見守り続けることはできるだろう。そのような意識を持った有権者が増えることが必要であり、それがまっとうな政治家を育てることにつながるはずだ。

中日新聞静岡版　二〇一六年二月二八日

2016参院選

七月十日に投開票された参議院選挙。静岡選挙区（改選数二）は、自民党現職の岩井茂樹氏（七十四万七千二百三十四票）と民進党新人の平山佐知子氏（六十九万一千六百二十九票）が当選し、自民・民新の両党で議席を分け合った。

今回の結果は、事前の予想通りとなったが、両者の票差は約五万五千六百票余と、平山氏が健闘したと言えよう。平山氏は民新党支持者のほとんどを手堅く固め、無党派層からも一定の支持を得たことが大きいと考えられる。

一方、岩井陣営は公明党の支援を受け、自民党県連が総力を挙げて戦ったこともあり、目標とする七十万票を獲得した。しかし、最後には平山氏の追い上げを許すことになり、来年の知事選をめぐっては、県連の戦術の練り直しも必要とされるかもしれない。

さて、今回から十八歳と十九歳が有権者として加わり、その投票行動が注目された。十代の投票率（選挙区）は45・45％（総務省発表）にとどまり、全体の投票率54・70％を下回った。十代の得票率は十八歳が51・17％、十九歳が39・66％と、十八歳の投票率の方が高かった。

十八歳の有権者には高校生が含まれており、高校などで行われた主権者教育が一定程度効果を及ぼしたとも考えられる。今後、十八歳選挙権をより良いものにしていくためには、選挙を通じて浮かび上がった課題を一つ一つ解決していく取り組みが不可欠である。

今回、高校で取り組まれた主権者教育は教師も生徒も初めてのことであり、手探りの部分もあったことだろう。さらに、政治家や政党の側には、十代の有権者にどのように対応すべきか、戸惑いがあったものと考えられる。

世界では、十八歳選挙権が主流であり、日本の取り組みは遅いかもしれない。しかし、これを機に、学校、家庭、地域社会で政治を日常的に論じあえる環境がつくられていくことを期待したい。

中日新聞静岡版　二〇一六年七月一七日

政務活動費の問題

今年八月以降、富山市議会に端を発する、政務活動費（政活費）不正取得の報道が後を絶たない。富山市議会ではこれまでに、不正のため十二人の市議が辞職するという異常事態が起こっている。

そもそも政活費とは、地方議員の政策に関する調査研究のために交付される経費で、各自治体が負担するものである。地方自治法で規定され、その運用は条例や規則に従って行われている。私たちは、地方議員が不正を行うことを、ほとんど想定していなかったはずだ。

政活費の不正取得に関しては、兵庫県の元県議（「号泣会見」で有名）の事件を思い出すが、私は、それをきっかけに各地の地方議会でも是正がなされるものと考えていた。しかし、残念なことに運用の見直しはあまりなされていなかったようだ。

私自身は、政活費が地方議員の政治活動に有効に使われ、それが市民へきちんと還元されるのであれば、必要な経費だと考えている。しかし、議員側の受け止め方がどうも市民感覚とはずれていたようだ。議員にしてみれば、「第二の報酬」としての受け止め方もあるのかもしれない。いずれにしても、公金を正しくかつ有効に使ってもらわなければ困る。そこで、政活費の今後のあり方について、私自身の思いをいくつか記しておくことにしたい。

第一に求められるのは、議員個人の倫理観である。政活費は市民からの税金がもとになっていることを肝に銘じてほしい。次に、使用した政活費が適正に使用されたか否か、つまり、使い方に不正がなかったかを幾重にもチェックする体制を構築することが必要だ。その点では、領収書を議会のホームページで公開する（県内では、藤枝市議会が決定）というのも一つの方法だろう。さらに大切なことは、私たちが主権者として、議会や議員の活動にもっと関心をもち、機会あるごとに、その活動を注視することではないだろうか。

中日新聞静岡版　二〇一六年一〇月九日

アメリカ大統領選

アメリカ大統領選挙は、十一月八日に投票が行われ、開票の結果、共和党のドナルド・トランプ氏が激戦の末、民主党のヒラリー・クリントン前米国務長官を破った。

選挙前、クリントン氏が勝利を収め、米国史上初の女性大統領が誕生することを予想する報道が相次いだ。それもそのはずで、トランプ氏の、選挙戦に参戦してからの大胆な発言に、大統領としての資質を問う声が共和党内部からも発せられていたため、選挙前からトランプ氏は劣勢の状況に置かれていた。私自身もクリントン氏が勝利を収めるものと思っていた。しかし、選挙はトランプ氏が勝利し、予想外の結果となった。

トランプ氏勝利の背景には、ラストベルト（さびついたベルト）に位置する、中西部諸州の白人低所得層の反乱があったようだ。加えて、これまでの政党政治家による政権運営とは異なり、ビジネス界出身で、政治の世界とは一線を画したアウトサイダーであるトランプ氏が主張した、「アメリカ第一主義」に期待を寄せた有権者も多かったのではないだろうか。

私は、トランプ氏の勝利が決まった日、今後日本でも、円高・株安が進み、特に北米向け輸出比率が比較的高い静岡県内の製造業には厳しい環境になることを予想した。しかし、その後の展開は、私の予想を裏切り、むしろ円安・株高の展開が続いている。

トランプ氏は、大統領就任後、選挙戦での公約であった、法人税減税や医療保険制度の見直しといった共和党の路線である「小さな政府」を指向する一方、インフラ投資の拡大にも着手する可能性が高い。さらに、ＴＰＰ（環太平洋連携協定）からの離脱も明言している。その結果、これまでの世界的な自由貿易の流れが変わる可能性もある。

トランプ氏の当選は、従来の世界秩序を大きく変える可能性を秘めており、今後も、その点を注視しなければならない。

中日新聞静岡版　二〇一六年一一月二七日

トランプ政権の発進

一月二十日（現地時間）、アメリカ・ワシントンで大統領就任式が行われ、トランプ政権がスタートした。昨年の選挙戦中から、過激な発言が目立ち、それを報道するメディアに対し敵愾心《てきがいしん》をむき出しにするトランプ大統領。そのため、記者会見を嫌い、多くは百四十字のツイッターで自らの思いを発信する。オバマ前大統領は異なる対応に、アメリカの今後が気になる。

就任式の参加者数をめぐっても、メディアの報道を誤りだとして、自説を展開する姿に唖《あ》然《ぜん》としてしまう。それに輪をかけるように報道官までが、うその上塗りをするような発言まで飛び出した。

直近の支持率を見ても、支持より不支持の方が多い。そして、就任式当日、会場周辺ではトランプ大統領に反対する人々のデモ行進が行われ、世界各地でも批判の声はやまなかった。

就任演説では、「今日から、新たなビジョンが私たちの国を支配する」として、「アメリカファースト（アメリカ第一主義）」を強調した。そして、「貿易、税金、移民、外交問題に関するすべての決定が、アメリカの労働者や国民の利益になるようにする」とも主張。経済面では、これまでの自由貿易体制との決別を宣言するかのように、環太平洋連携協定（ＴＰＰ）からの離脱と北米自由貿易協定（ＮＡＦＴＡ）の再交渉を表明した。まさに保護主義的な経済政策の方針を明らかにした。

トランプ政権の向かうところは、アメリカ第一主義であり、まさにアメリカの国益を第一にしようとするものである。オバマ前大統領が理念とした「多様性」や「寛容」とは異なる新たな価値の主張でもあった。しかし、就任演説では、方向性は示したものの、それを実現する方策を明確にしたわけではない。今後次第にそれが明らかになっていくものと思われる。

静岡県内でも、トランプ政権が打ち出す政策しだいで、何らかの影響が出てくるかもしれない。

中日新聞静岡版　二〇一七年一月二九日

ふるさと納税の本来の趣旨

二〇〇八年度にふるさと納税制度が導入されてから今年で十年目を迎えた。総務省は四日に、一六年度のふるさと納税額が前年度比約一・七倍の二千八百四十四億円に達したと発表した。ふるさと納税額は四年連続で過去最高を更新している。

ふるさと納税制度は、「納税」とはいえ、一種の寄付制度である。この制度の仕組みは、自らが応援したい自治体に寄付をすると、二千円を超えた分が所得税（国）や住民税（居住地）から控除されるというものである。寄付を受ける自治体からすれば、新たな財源になることから、寄付者にとって魅力的な返礼品を用意して寄付額を増やそうとする。そのため、最近は自治体間で返礼品競争が過熱してきたため、総務省は四月、「寄付額に対する返礼品の割合を三割以下」にするよう全国の自治体に要請した。

ふるさと納税の本来の趣旨は、自分を育んでくれた郷里の自治体に貢献することを狙ったものである。それが、最近は寄付者にとって、返礼品目当ての寄付に変化してしまったようだ。しかし、ふるさと納税を通じて被災地を支援することもでき、熊本市は全国六位の三十六億円を受け入れた。

ところで、一六年度、静岡県全体の受入額は百七十六億円。上位の三自治体は焼津市（五十一億円、全国第三位）、藤枝市（二十六億円）、小山町（十八億円）であった。

焼津市は五十一億円を受け入れたが、返礼品等で二十八億の経費がかかっている。とはいえ、この経費は返礼品を扱う企業に支払われることになるので、地域経済の観点からすればメリットが大きい。焼津市は、ふるさと納税を子育て・教育、健康づくり、地域資源の磨き上げに使うということである。

今後は、税収が減少した都市自治体も巻き返しに出てくることで、自治体間競争も激しくなるかもしれないが、ふるさと納税の本来の趣旨を忘れてはいけない。

中日新聞静岡版　二〇一七年七月一六日

急速に進む野党再編

九月二十八日、臨時国会の冒頭で衆議院が解散された。このような形での解散は、今回で四回目だ。安倍首相の狙いは二年後の消費税引き上げに伴い、税収の使途変更などを主要な争点とすることであった。しかし、「森友、加計問題」が国民の納得のいく形で解決されていない現状において、今回の解散は「党利党略解散」「自己保身解散」と批判されても仕方がない。

衆院選は十月十日公示、二十二日に投開票される。

安倍首相から臨時国会冒頭解散が正式に発表されたのは九月二十五日。その日には、東京都の小池百合子知事が新党「希望の党」を立ち上げ、自らが代表に就任することも明らかにされた。この時を起点に、野党再編の動きが急速に進むことになった。

その再編の流れを加速させたのが民進党である。前原誠司代表は二十七日、自公政権に対抗するため、野党候補の一本化を目指し、新党「希望の党」への事実上の合流を提案。その後、「希望の党」と民進党との間で立候補者公認をめぐっての調整が始まる。しかし、小池都知事は、民進党の立候補予定者全員を新党に受け入れるのではなく、新党の主要政策（憲法・安全保障政策）で一致しているか否かで選別するとした。民進党のリベラル派が排除される可能性が強まったことを受けて、十月二日に民進党の枝野幸男代表代行が「立憲民主党」の立ち上げを明らかにした。

こうして政界も「自民・公明」「希望の党・維新」「立憲民主・共産・社民」といった三極に再編されることになった。政党のくくりが三極になったことにより、有権者にとっては比較的分かりやすい構図になったように感じる。

とはいえ、実際に一票を投じるのは私たち有権者である。私たちに課されているのは、これからの日本をどの政党に、そしてどの人に託すことができるのか、それを見極める目を持つことである。

中日新聞静岡版　二〇一七年一〇月八日

衆院選の結果から

二十二日に投開票が行われた衆院選。自民党は追加公認を含め二百八十四議席（改選前二百九十議席）を獲得し、今回の選挙でも圧勝した。

解散直前の九月二十五日には、東京都の小池百合子知事が「希望の党」を立ち上げ、自ら代表に就任することを明らかにした。反自民を標榜《ひょうぼう》する政党の誕生により、野党の再編劇が始まる。そして、希望の党への期待が一気に膨らんだ。

九月二十八日、野党第一党の民進党は両院議員総会において希望の党との合流を承認、協議を開始。

しかし、その後、民進党議員を全員受け入れるわけではないという小池代表からの「排除」発言が飛び出し、それをきっかけに希望の党に吹いていた風が弱まる。

一方、民進党の枝野幸男氏は二日にリベラル系議員の結集を公表。翌三日に「立憲民主党」が結党され、枝野氏が代表に就いた。

この結果、民進党衆議院議員は、希望の党、立憲民主党、無所属と三つに分かれて戦うことになった。こうして、選挙戦は、自・公、希望の党・維新、立憲民主・社民・共産という三極に分かれ、有権者にとっては分かりやすい構図になった。

選挙戦を通じて、自民党は安定した戦いを進めたが、希望の党は失速、逆に立憲民主党は勢いが増した。選挙結果は、立憲民主党が五十五議席を獲得して希望の党（五十議席）を抑え、野党第一党に躍り出た。

今回の選挙で争点の一つとなったのが、「憲法改正」であった。選挙結果により、改憲勢力（与党、希望の党、日本維新の会）は三百七十四議席となり、定数（四百六十五議席）の八割を超えることになった。これから九条を含めての憲法改正論議が始まることが予想される。しかし、憲法改正には国民投票が必要だ。今、私たちに求められることは何かと言えば、憲法のあり方を自らの問題として受け止めることではないだろうか。

中日新聞静岡版　二〇一七年一〇月二九日

野党再編劇に翻弄された有権者

10月22日に投開票された衆院選。今回も自民党の圧勝に終わったが、私には何かすっきりしないものがある。それは、「自民1強体制」の打破をめぐってなされた野党再編が十分に機能せず、「政権選択選挙」とは名ばかりで、有権者は野党再編劇に翻弄されただけではなかったか、という思いがあるからだ。

今回の選挙では、野党をめぐって情勢が変化する転換点がいくつか見られた。

一つ目は、9月25日の安倍首相による衆議院解散に関する記者会見前に行われた、小池百合子東京都知事による記者会見だ。小池知事は記者会見で、「希望の党」の結成と自らの代表就任を明らかにした。希望の党の立ち上げにより、「反自民」への有力な受け皿が用意され、野党再編の動きが加速するかに見えた。有権者の希望の党への期待感が一気に膨らんだ。そして、民進党の前原誠司代表(当時)による希望の党への合流表明という流れも導き出された。

しかし、民進党と希望の党の合流に関する協議の中で飛び出した、小池代表による民進党議員の選別=「排除」発言が第二の転換点となる。発言以降、有権者の期待感が一気にしぼみ始め、潮目が変わった。

三つめは、小池氏の排除発言を受けた、民進党の枝野幸男氏によるリベラル系議員の受け皿としての「立憲民主党」の立ち上げである。この結果、民進党の衆院議員は、希望の党、立憲民主党、そして無所属に分かれて選挙を戦うことになった。

選挙戦は、自民・公明、希望・維新、立憲民主・共産・社民という三極の構図になった。野党は、選挙戦の序盤から続いた自民党有利の流れを最後まで覆すことができず、自民党の勝利は「敵失」によるものとの評価もなされた。

今回の選挙を振り返ると、有権者は短い時間の中で行われた野党再編に戸惑い、投票先について悩みを抱えることになったのではなかったか。有権者の多くは事態の本質を読み解く時間的余裕もない中で、選挙での高揚感を感じることもなく投票日を迎えたかもしれない。

衆院選は本来、有権者が次の政権をどの政党に託すのかを決める大切な機会であるはずだ。政党は有権者に政策を訴え、その判断を仰ぐ。そのような選挙が理想だが、今回の選挙は国会での議席数の競い合いに焦点が当てられすぎたようだ。課題山積の日本の行く末そのものを、真剣に議論する機会が少なかったように感じる。今後、自民党に対峙《たいじ》し、政権を担う力のある野党の存在を期待したいところだが、今のところその道は険しいと言わざるを得ない。

朝日新聞静岡版　二〇一七年一一月二日

地方創生の条件

第二次安倍政権の目玉政策の一つである地方創生。東京一極集中の是正と地方の活性化による日本の活力の底上げが目的だ。

地方自治体では、国の「長期ビジョン」を見据えた「地方人口ビジョン」と、国の「総合戦略」を受けた「地方版総合戦略」を策定している。

現在、日本各地で、地域の独自性を活かしたさまざまな取り組みが進行中だ。静岡県内でも、県及び三十五市町が、策定した「人口ビジョン」や「総合戦略」の実現に向けて、さまざまな施策を展開している。

今回の戦略は、二〇一五から一九年度までの五カ年計画である。昨年（一七年度）は丁度中間年であったことから、今年は各自治体とも、設定された成果目標がどの程度実現したのか、その確認・評価に余念がないと思われる。五年間で成果を挙げなければならないというのは厳しいが、当初の取り組みがうまくいっているかどうか評価を行い、それを基に改善していくことは極めて大切なことだ。

静岡県にとって大きな課題は、いかに人口流失を食い止め、地域経済を活性化させるか、という点にある。静岡県内各市町の取り組みを見て気付くのは、今回の「総合戦略」を通じて、地域資源の再発見・掘り起しとその磨き上げによるブランド化が進み始めているということだ。各市町とも、地域活性化に向けての手ごたえを感じ始めているかもしれない。

そもそもこの「総合戦略」では、策定・実施の双方において、「産学官金労言」のマルチパートナーシップによる推進が求められている。つまり、従来にない地域課題解決の枠組み＝プラットフォームの構築を期待されているのだ。

今後、重要になってくるのは、各地域のプラットフォームが効果的に機能することだと思う。そのためには、プラットフォームに乗り合う各主体が、持てる力を十分に発揮することが不可欠である。

中日新聞静岡版　二〇一八年四月二九日

男女の候補者数「均等」にするには

5月16日に「政治分野における男女共同参画推進法」が成立した。議員立法によって成立したこの法律の目的は、「政治分野における男女共同参画を効果的かつ積極的に推進し、もって男女が共同して参画する民主政治の発展に寄与すること」（第1条）である。そして、政党やその他の政治団体に、衆参両院選挙や地方議会選挙において、「男女の候補者の数ができる限り均等となる」ように促すものである（第2条）。

１９９９年に「男女共同参画社会基本法」が成立してから、社会における「男女共同参画」の推進が意識されてきたが、政治面ではかなり遅れている。例えば、世界経済フォーラムが毎年秋に発表する「男女平等ランキング」における日本の順位は、対象１４４カ国中１１４位（２０１７年）である。このランキングは、男女間の経済的参加度、教育達成度、健康状態、政治的エンパワーメントの４指標で評価されるが、女性国会議員の少なさが全体の足を引っ張る格好になっている。

先進国の中ではかなり低い順位の日本が、政治面における男女平等を意識した取り組みを始めることは、きわめて重要なことである。国・地方を問わず、男性中心の議会に女性の割合が増えることにより、多様な観点からの政策論争が期待される。そのことにより、様々な社会課題に女性の視点が入った対応が可能となるからだ。

しかし、新たに制定された法律でも、男女の候補者数の均等はあくまでも努力目標であり、選挙において実際にどのような効力を発揮するのかは未知数だ。来年は、統一地方選や参院選も予定されている。今後の関心は、各党が本腰を入れて女性候補者の擁立に力を入れるのかどうかという点に移る。

政治学者の三浦まり氏は、「政党の自主的な取り組みを促すためには、メディアや世論の働きかけが重要な役割を果たす」と述べている（「世界」７月号）。私も同感だ。これからは、報道機関も女性候補者数や政党の取り組みを意識した報道をすることになるだろう。

そして、政党が本気になって女性候補者擁立に向かうためには、私たち有権者の意識も変わる必要がある。三浦氏は「女性のなり手だけではなく、女性の支え手の層を厚くすることが不可欠であり、自分たちの代表を自分たちで送り込もうとする能動的な市民の存在がなり手不足を解消していく一つの道筋」だとしている。

「能動的市民」というと難しく思うかもしれないが、まずは私たちが身近な地方議会と議員の活動に関心をもってみたらどうだろうか。議会広報を読んだり、場合によっては議会を傍聴したりすることでも良い。このように「政治」に触れる機会を増やしていくことが大切だと感じる。

朝日新聞静岡版　二〇一八年六月二一日

割れた地方票　国民の声を謙虚に

9月20日に自民党総裁選が行われ、安倍晋三首相が石破茂元幹事長を退け、３選を果たした。今回の総裁選は、国会議員票４０５票と党員・党友による地方票４０５票の計８１０票をめぐって争われた。得票数でみれば、安倍首相は全体の５５３票（69％）を獲得し、圧勝。石破氏は２５４票（31％）に留まった。

しかし、首相サイドが当初描いていた「圧勝戦略」は少し狂ったようだ。確かに国会議員票では党内７派閥のうち５派閥（細田、麻生、二階、岸田、石原）の支持を得たことから８割を超える票を獲得した。他方、党員・党友による地方票は、安倍首相の２２４票（55％）に対し、石破氏は１８１票

（45％）を獲得した。地方票に限ってみると、石破氏が相当善戦したと言える。

静岡県内ではどうだったか。自民党衆院議員7人全員が安倍首相に、そして参院議員2人は石破氏を支持、衆参で投票先が分かれた。また、石破氏は党員・党友票で約42％の支持を得たことから、県内でも善戦したと言えるだろう。

自民党総裁選での地方票は国会議員票より、国民一般の声により近いとされることもあり、今回の結果は、自民党地方議員や党員の中の安倍政権への不満の表れとみることもできる。この点を、9月21日付朝日新聞（朝刊）2面の見出しは「目標下回る地方票『反乱だ』森友・加計や『圧力』問題響く」と表現した。

安倍首相のこれまでの政権運営は高い支持率を背景に「力」で押し切ることが多かった。自身への批判に対しては激しく反論し、かえってそのような安倍首相の姿勢が、国民には「首相としての品格」を疑わせるものと感じられたのではないだろうか。

今後も安倍政権は継続する。場合によっては憲政史上最長の政権になるかもしれない。だからこそ国民の声を謙虚に聞き、批判に対しても真摯《しんし》に自らをただす姿勢こそが求められるはずだ。そうでなければ国民の心はますます首相から離れていくことになるだろう。小泉進次郎衆院議員の「違う意見を抑えつけるのではなくて、違う声を強みに変えていく自民党でなければならない」という発言は的を射ている。

結党以来60年以上経過し、その間2度下野したことはあったが、戦後日本の歴史を築いてきた自民党。強固な地方組織がそれを下支えしている。

とはいえ、９月30日投開票の沖縄県知事選挙では、自民党が全面支援をした保守系候補が敗れた。総裁選３選を果たした安倍首相にとっては出ばなをくじかれた形だ。来年は統一地方選や参院選も予定されている。安倍首相自身が国民の思いに寄り添うことができるかどうか、選挙結果はそれいかんによって変わる可能性がある。

朝日新聞静岡版　二〇一八年一〇月四日

新元号の時代　市民が政治動かして

新年が明けた。今年は４月末で平成の時代が終わり、５月１日より新たな元号になる。思い起こせば平成が始まったのは、１９８９年１月８日だった。

昭和天皇が１月７日に崩御。その日の午後、当時の小渕恵三内閣官房長官が記者会見し、平成という元号を発表した。その会見はテレビで放映され、私も見ていた。今でもはっきりと思い出すことができる。あれから30年。今年４月末に今上天皇が退位することに伴い、新たな元号が４月１日に発表されるという。今から興味津々である。

ところで、平成の時代の初めから、世界は大きく変わっていった。89年11月に起こったベルリンの壁の崩壊は、激動の時代の幕開けとなった。当時、私は大学院で学んでいたが、ドイツ現代政治を研究していた友人は、すぐに当地に赴き、現場を見てきた。その感度の良さに驚いたが、私への土産は崩された壁のかけらであった。

その後も、東欧諸国では「市民革命」と呼ばれる動きが激化し、共産党政権が崩壊していった。そして、91年には遂にソ連が崩壊し、東西冷戦構造が終焉《しゅうえん》を迎えた。

国際社会がそのように変化を遂げていたころ、大学院の同門の友人たちと、これからの日本や世界はどうなるのか議論をしたことを懐かしく思い出す。当時、私たちの関心は、おのずと市民、そして市民が生み出す様々な社会運動へと傾斜していった。友人たちと「新しい社会運動」についての文献を読みあさり、皆で勉強したことは、その後の私の研究にも大きな影響を与えた。その時の関心は今も変わることはない。

さて、日本政治に焦点を当ててみると、93年に非自民連立政権が成立し、自民党が下野。55年体制が崩壊した。しかし、非自民連立政権は10カ月で終焉。その後、選挙制度改革の議論のもと、96年の総選挙から「政権交代可能な民主主義」を目指して小選挙区比例代表並立制が導入され、今日に至っている。

２００９年には、この選挙制度の下で政権交代が起こり、民主党政権が誕生した。国民の期待は大きかったが、結局は政権運営の未熟さが露呈し、12年の総選挙で敗北。再度自民党政権となり、第２次安倍内閣が今日まで続いている。安倍氏は昨年９月の総裁選で３選し、21年９月まで首相の地位にとどまることになりそうだ。そうなれば、日本の憲政史上最長の政権になる。「安倍一強」体制がそう簡単に崩れることはないだろう。

しかし、私たちは新たな元号の時代の中でいま一度「政権交代のある民主主義」を機能させる経験を積んでいくことが大切だと思う。今年1月1日付、朝日新聞社説は「内閣や国会の権力の淵源《えんげん》は、主権者たる国民である。政治に緊張感を持たせる最良の手段は、主権者が厳しい視線を絶やさないことである」と結んでいる。全く同感だ。

朝日新聞静岡版　二〇一九年一月一〇日

「令和」最初の国政選挙

七月二十一日、令和の時代最初の国政選挙である参議院選挙の投開票が行われた。改選二議席の静岡選挙区では、五人が立候補し、自民党現職の牧野京夫《たかお》氏（五十八万五千二百七十一票）と国民民主党現職の榛葉賀津也氏（四十四万五千八百六十六票）が当選した。牧野氏は二期十二年、榛葉氏は三期十八年の実績が評価されての当選であった。

今回の選挙では、自民党は現職の牧野氏一人だけを擁立して選挙戦に臨み、順当にトップ当選を果たした。一方、野党は国民民主党（国民）の榛葉氏に対し立憲民主党（立民）も候補者を擁立し、国民と立民が対決するという全国でも注目の選挙区となった。立民は徳川家十九代目の徳川家広氏が立候補。「徳川家」の知名度を前面に押し出しての戦いであった。しかし、静岡県内における国民と立民両党の組織力の差が勝敗を分けた。

　地方の組織基盤が十分でない立民には、全国における党の勢いを静岡にもという期待があった。しかし、連合静岡が陣営の中核を担った国民には力が及ばなかった。選挙戦の序盤では、両者が互角という報道もなされたが、最終的には榛葉氏が徳川氏を十四万票以上の差をつけて退けた。

　今回の参議院選挙は静岡選挙区の投票率が50・46％ということで、全国の48・80％をかろうじて上回ったが、盛り上がりを欠いた選挙であった。その一因は、当初「年金」「消費税増税」「憲法改正」が争点であるとされていたが、それらが選挙戦の中でも明確さを欠き、有権者の関心を引き付けることができなかった点にある。

　しかし、そのような中、政治団体である「れいわ新選組」（二議席）と「ＮＨＫから国民を守る党」（一議席）が、公選法上の政党要件を満たしたことは今回の選挙の注目点だ。既成政党に対する有権者の不満が表面化したものと考えられる。

中日新聞静岡版　二〇一九年七月二八日

コロナ禍の選挙戦

四月十四日に衆院静岡４区補欠選挙が告示された。今回の選挙は望月義夫元環境相の逝去に伴うものであり、新型コロナウイルス感染者の増加に歯止めがかからない中での国政選挙ということで、全国的に注目されている。

告示に先立つ四月十日に、静岡青年会議所が主催する公開討論会が開催された。十年ほど前から、全国各地で国政選挙や知事選挙、市長・町長選挙の際には、立候補予定者を呼んで公開討論会を行うことが恒例化するようになった。主催者は各地の青年会議所やさまざまな領域で活動を展開している市民団体がほとんどである。私はこのような公開討論会でコーディネーターを務めさせていただくことが多く、今回もコーディネートする機会をいただいた。

今回の補選には、四人が立候補を表明していたが、当日の討論会には三人の立候補予定者がパネリストとして登壇した。元東京都議の田中健さん（立憲民主、国民民主、共産、社民推薦）、元県議の深沢陽一さん（自民公認、公明推薦）、無所属で元会社役員の山口健三さんである。ＮＨＫから国民を守る党の田中健さんは欠席した。

公開討論会は、本来ならば、多くの聴衆が入る大きな会場を借りて行うのであるが、今回は新型コロナウイルス感染を防ぐため、報道関係者を除いて、無聴衆で行った。そして、討論会の模様は主催者側があらかじめ録画をし、それを告示日前にウエブを通じて配信した。

今回の討論会では三つのテーマ（人口減少対策、社会保障の充実、大規模地震など自然災害対策）に関して政策を競い合った。

聴衆がいない中での討論会であったが、三人とも聴衆がいるかのように熱心に自らの考えを述べていたのが印象的であった。

今回の選挙戦では、各陣営が感染防止のため、出陣式や室内での集会、握手といった従来の手法を自粛している。そのため、インターネットをフルに活用した選挙戦術をとることになる。コロナ禍の選挙は図らずもインターネットを中心とした選挙の試金石になりそうだ。

中日新聞静岡版　二〇二〇年四月一九日

出口戦略

四月七日に発出された緊急事態宣言は五月六日に解除されることになっていたが、その後延長された。新型コロナウイルスの感染拡大を防止するためには、可能な限り対面的な接触を避ける必要があり、日本社会にはこれまであまり経験したことのないさまざまな取り組みが求められている。

企業においては、在宅でのテレワークが推奨され、出社する社員の数をできる限り減らす努力が続けられている。また、小中高校への休校要請により、児童・生徒は自宅で過ごすことが求められ、私たちも日常生活において、「ステイホーム」ということで不要不急の外出を避けることを余儀なくされている。

このような状況の中で、深刻な影響を受けているのが経済活動であろう。とりわけ中小の小売店や飲食店は外出自粛のあおりを受けるばかりか、営業自粛により大きな痛手を被っている。

今回のような新型コロナウイルス問題においては、特に感染症対策と経済政策の両面でバランスの取れた対応が必要とされる。感染拡大を食い止める取り組みを進めるだけではなく、打撃を被っている経済活動をどのように立て直していくのかということも大切なことだ。

その点で、コロナ禍からの出口戦略をどのように描くのかということは極めて重要な課題となっている。

この出口戦略をめぐっては、大阪府の吉村洋文知事がいち早く営業自粛解除の基準を「大阪モデル」として明らかにした。西村康稔経済再生担当大臣との間で不協和音はあったが、首長が率先して方向性を示すことは大切なことである。

新型コロナウイルスの感染拡大という国難の中にあって、これから日本がどこへ向かおうとしているのか、そのビジョンを分かりやすく説明することは政治家の責務ではないかと感じる。今、国は明確な出口戦略を国民に示し、それに基づいて感染の拡大を封じ、加えて経済の再生を図っていくことが求められている。

中日新聞静岡版　二〇二〇年五月一七日

三、静岡における政治・行政の諸相

地方分権時代の議会改革

地方分権一括法が施行された二〇〇〇年以降、国と地方の関係が従来の上下主従型から対等協力型に転換し、まさに分権型社会に向けて舵《かじ》が取られたといえる。それがきっかけとなり、地方自治体は国に頼らず、自立（自律）した独自の取り組みをすることが可能となった。

例えばその端緒として、北海道のニセコ町が〇一年から施行した「まちづくり基本条例」はその後、全国から注目され、今や多くの自治体がこのような条例を制定するようになった。この条例は一般に「自治基本条例」と称され、自治体運営の基本方針を明確にしたものであり、制定した自治体における最高規範としての位置づけがなされている。

一方、これまで改革が十分ではないとされていた地方議会においても、最近はさまざまな改革が進められるようになった。自治基本条例同様、議会改革においても先鞭《せんべん》をつけたのは、北海道の栗山町という小さな自治体であった。〇六年に施行した「議会基本条例」は、議会運営の基本原則を明らかにしたもので、その後、全国の自治体議会改革のバイブル的存在となった。

静岡県内の市町においても、議会改革はいろいろなレベルで進められている。議会基本条例に限っても、〇九年以降現在まで七市（菊川、島田、牧之原、富士、磐田、静岡、掛川）で制定された。

この種の条例は制定することが目的ではなく、条例の中に規定されていることを、どの程度実質化できるかが重要である。内容的には、主権者である住民にも開かれた議会を掲げ、議会が行政の監視だけではなく、立法機能も十分に発揮できるよう取り組むことが盛り込まれている。条例に規定されたことを実現するには時間も必要だとは思うが、常に前向きに取り組んでほしいものである。

先日、現在制定を目指している川根本町議会議長や特別委員会委員長、議会事務局長と話す機会があった。話を聞いていると改革に向けての熱意と意欲が伝わってきた。何かと批判の多い地方議会であるが、要は議員個人の改革への熱心さの度合いが大切だと感じた。

中日新聞静岡版　二〇一三年五月一二日

県知事選を振り返る

十六日に投開票された静岡県知事選挙では、無所属で現職の川勝平太氏が圧勝した。その票数は百八万票ということで、他の二人の候補を圧倒して県政史上最多の得票数である。ただ、投票率は50％に届かず49％であった。

今回の知事選では、川勝氏が無所属ということで、勝手連方式の選挙戦を展開したが、自民党支持の広瀬一郎氏や共産党公認の島津幸弘氏はそれぞれ党を挙げての戦いであった。まさに勝手連対政党の戦いであったが、特に自民党県連の選挙戦術に読み違いがあったのではないかと思われる。

　自民党県連の候補者擁立が遅れ、準備不足であったという点は否めないにしても、選挙戦を通じて「県政と国政のねじれの解消」や「自民安倍政権との連携」という訴えが、さほど有権者に伝わらなかったことに敗因の一端があるのではないだろうか。むしろ有権者が欲していたことは、「民主対自民」という政党間対立ではなく、川勝県政が掲げた「日本の理想郷・ふじのくにづくり」に対抗できるだけのビジョンの提示ではなかったか。選挙戦では広瀬氏も島津氏も有権者が期待するような、川勝県政一期目の諸政策に対する切り込みが十分でなかったように感じる。それが今回の投票率にも現れているのではないだろうか。

　今、日本は地方分権の時代にかじ切りがなされた。日本の中における静岡県のポジションをどこまで上げることができるか。それが県政に課された課題でもあろう。川勝氏の「日本の理想郷」「日本の京《みやこ》づくり」という訴えは、静岡県の潜在的可能性に期待を寄せる有権者に心地よく伝わったものと考えられる。

　自民党県連にとっての誤算は、徹底的な組織選挙を展開したにもかかわらず、自民支持層の半分以上が川勝氏に投票したことであろう。県知事選と国政選挙を区別する有権者の存在を読み切れなかったものと思われる。

　百八万人の有権者から信任を得た川勝氏。県民の期待は大きい。二期目の「ふじのくにづくり」を、県民は関心をもって見守っていることをお忘れなく。

開港5周年、静岡空港

中日新聞静岡版　二〇一三年六月三〇日

今月四日、静岡空港が開港五周年を迎えた。何かと話題の多い静岡空港であるが、利用者数が低迷している。目標は年間七十万人とされているのに対して、昨年度の利用者数は約四十六万人であった。利用者数が目標をかなり下回っているのが現状である。約二千億円を投入して建設した空港だけに、県民の財産としてより効果的な利活用策を探っていく必要がある。

私も先月、九州出張の際に静岡空港を利用した。静岡市内の自宅から空港まで東名高速を利用して約四十分。空港は駐車場が無料で使えるので便利である。そして、朝は福岡行きの便だけなので、搭乗もとてもスムーズであった。そして、約八十分で福岡空港に到着。帰りは鹿児島空港を利用したが、鹿児島—静岡線は週三便のみの運行で、帰る日を配慮しなければならず不便だと感じた。

私の場合、空港が開港されてから、福岡周辺への出張はほとんど静岡空港発着の飛行機を使うようになった。新幹線を使うよりかなり時間が節約できるからである。福岡便は毎日三往復しているので、とても便利に使えるが、その他の路線はそうではない。以前、札幌へ行った際、静岡空港を利用しようと思ったが、冬季であったため運航していたのは一便だけで、時間があわず羽田を利用した。このようなことは私だけではなく、他の利用者にも共通することであろう。とにかく、便数が少なく使いにくいのである。

新幹線が便利に使える静岡県の立地環境からすれば、国内線の新規路線開拓には限界があるかもしれない。しかし、既存路線の増便など、利用者数を増やす取り組みは不可欠で、併せて静岡空港への県民の関心を喚起することも大切だ。その点、県や空港運営会社の女性職員からなる「しずおか空《そら》ジェンヌ・プロジェクト」は、女性目線での空港利用促進策を検討するようであり、今後どのような提言がなされるのか注目してみたい。

中日新聞静岡版　二〇一四年六月一五日

リニア中央新幹線

今月一七日、国土交通大臣はリニア中央新幹線の工事着工を認可した。これから二〇二七年の東京―名古屋間の開業をめざして、大規模な工事が開始される。

開業後は、東京―名古屋間の所要時間が四十分になり、現在「のぞみ」での所要時間は一時間三十五分であることから、大幅な時間短縮となる。そして、開業によってもたらされるさまざまな効果に、今から多くの期待が寄せられている。

ところで、東京―名古屋間の事業費は約五兆五千億円とされている。路線の選定にあたり、事業費の負担を少なくするため、東京―名古屋間の直線ルートを選んだため、南アルプスの山中をトンネルで貫くことになる。

この工事は今から難工事が予想されており、工事費はさらに増加するかもしれない。加えて、今後の建設用資材や賃金の増加も予想され、全事業費がいくらになるのか不透明だ。

今年は、東海道新幹線開業から五十年の節目を迎えた。その年に、新たなリニア中央新幹線開業に向けての工事が認可され、多くの人々の夢は膨らむ。

しかし、不安も尽きない。予想される難工事、南アルプスや周辺地域の環境への影響、総事業費を負担するＪＲ東海自身の収益性の確保など、多くの難題が横たわっている。

とりわけ、私たちは環境に与える影響を心配する。今年国連教育科学文化機関（ユネスコ）のエコパーク（生物圏保存地域）に登録された南アルプスの生態系は守られるのか。

そして、トンネル掘削工事によって発生する大量の土砂の処理は適正に行われるのか。また、工事によって生じる可能性のある大井川の水量減少は大丈夫かなど。

この工事がＪＲ東海単独の事業であるだけに、国交省など国の監視・指導が行き渡るのかとても不安だ。効率性や経済効果のみを追求することにより、尊い自然環境が破壊されることだけは避けなければならない。

中日新聞静岡版　二〇一四年一〇月二六日

統一地方選と投票率

四年に一度の統一地方選挙がやって来た。十二日に投開票が行われた前半戦は、二政令市（静岡市、浜松市）の市長選、県議選、そして浜松市議選であった。

今回は、人口減少や地域経済の活性化という地域が抱える大きな課題に対し、政策を競う機会であったが、選挙は最後まで盛り上がりを欠いた。そのため、投票率が思ったほど伸びず、静岡市長選は48・42％、浜松市長選は53・56％、そして県議選は47・88％という結果で、浜松市長選と県議選は戦後最低、静岡市長選でも合併後最低であった。

思い起こせば、昨年末の衆院選における県内の投票率も戦後最低の55・61％であった。最近は選挙のたびに低い投票率から抜け出せない状態が続いている。

どうすれば有権者を投票所へ向かわせることができるのであろうか。有権者にとって、自ら投じる一票によって、社会が変わるという思いを抱くことができるのであれば、必ず投票所に足を運ぶことだろう。最近の選挙は、有権者にそのような誘因を与えることができていないことが一番大きな原因かもしれない。投票率が上昇しない背景を分析することは重要であるが、その一方で、選挙を面白くする工夫も大切であろう。

確かに県内の選挙管理委員会でも投票率を上げるための啓発活動がいろいろと行われた。今回の選挙では、ゆるキャラを使った活動や若者による活動なども目立った。しかし、そのような活動がなされても有権者という「山」を大きく動かすことはできなかった。今後、さらなる改善に向けて、知恵を出し合うことが必要だ。

選挙において、「一票」の価値は大きなものがある。それによって政治のあり方を変え、社会を変えることだってできるはずだ。それができるのは、私たち有権者であることを忘れてはいけない。そのために、もう一度選挙の意義を考えてみたい。

中日新聞静岡版　二〇一五年四月一九日

「県都構想」の行方

「大阪都構想」が住民投票によって否決された翌日（五月十八日）、静岡県の川勝平太知事が「県都構想」を明らかにした。突然の表明ではあったが、川勝知事の思いの中では以前から練られた構想だと思われる。

川勝知事が主張する「県都構想」は、次のような内容である。

一つ目は、「二重行政」の問題を解消するということである。県と静岡市には双方の行政サービスに重複があり、それらを一元化することが望ましい。

二つ目は、静岡市は政令指定都市の人口要件（七十万人）を下回った場合、その資格を失うので、県と市が一体化して活力のある「県都」をつくる必要がある。その場合、静岡市長は「県都」担当の副知事になるということもある。

このような「県都構想」に対し、田辺信宏市長は不快感を示し、受け入れるつもりはないことを明らかにした。

そして、七月二十三日には、川勝知事と田辺市長が直接、「県都構想」について意見を交わす機会があったが、ここでも両者の主張には隔たりがあった。

現在、日本の大都市制度は「大阪都構想」に代表されるように、新たな再編の時期を迎えているのかもしれない。愛知県と名古屋市、新潟県と新潟市との間でも、「中京都構想」や「新潟州構想」が提起されている。

これらの構想で具体化したのは、「大阪都構想」ぐらいで、その他の構想はいまだ検討段階である。

新たな制度を構築していくことは大変難しく、田辺市長も「制度論」ではなく「実質論」で静岡市の発展の方向性を議論したいという考えを明らかにしている。

いずれにしても、「県都」静岡市の発展をどのような仕組みで実現していくのかという議論は、今後も続いていくことだろう。それに対して、県民でもあり、市民でもある「静岡市民」は、この構想に無関心でいることだけは避けなければならない。

中日新聞静岡版　二〇一五年八月九日

女性市長との対談

一月二十三日に、NPO法人あざれあ交流会議（静岡県男女共同参画センターあざれあの指定管理者）の主催により、「女性市長対談二〇一六」が開催された。女性市長対談は今回で三回目。私は毎回コーディネーターを務めている。

静岡県政史上初の女性市長が誕生したのは、二〇一三年のこと。四月の伊豆の国市長選挙で小野登志子さんが当選。そして翌月の島田市長選挙では、染谷絹代さんが市長に当選し、県内に二人の女性市長が生まれた。

全国を見回しても、同一都道府県内で複数の女性市・区長がいるのは、東京都（足立区、三鷹市）、兵庫県（尼崎市、宝塚市）と静岡県の三つしかない。その意味でも、小野・染谷両女性市長の存在は全国でも注目に値する。

今回の対談では、就任後間もなく三年が経過する両市長から、これまでの実績を聞いた。

小野市長は「歴史・医療・農業」を軸にまちづくりを行ってきたと話し、その成果の一つとして、昨年韮山反射炉が世界文化遺産に指定され、多くの観光客が訪れることになったと語った。

一方、染谷市長は「市民に信頼されるまちづくり」を目指し、「公平公正・情報開示・広域行政・財政健全化」に力を入れて市政を運営してきたと述べた。

会場には、これから公務員を目指す学生も多数来場していて、両市長は彼らからの質問に対しても、とても丁寧に回答していた。その中で「市長を志した理由」を聞かれた時、二人とも「市民の命を守る市政」を実現したかったということを話した。「命を守る」という点に二人の共通項があることを知り、私も共感を覚えた。

これから二人の市長は一期四年の最終年に差し掛かる。三年間の中で何ができて、何ができていないのか、両市民はその点を注視することになるだろう。

中日新聞静岡版　二〇一六年一月三一日

2016御前崎市長選

四月十日に投票が行われた御前崎市長選挙は、二人の無所属新人候補によって争われ、即日開票の結果、元市議会議長の柳沢重夫氏（九千八百八十四票）が、前副議長の曽根正浩氏（八千八百二十八票）を約千票差で下し、市長に当選した。投票率は72・90％で、前回（76・69％）よりも3・79ポイント下回った。とりわけ、今回の選挙で目立ったのは、無効票が六百四十八票もあったことである。

その背景には、浜岡原発再稼働をはじめ、地域経済活性化、医療・福祉、子育て支援といった今後の市政にとって重要な争点に関し、二人の候補者の間に明確な対立軸がみられなかったことがあるのではないだろうか。

前回選挙（二〇一二年）では、現職の石原茂雄市長に、再稼働反対の二人の新人候補が挑み、選挙戦はある程度盛り上がった。結果は、石原氏（一万二千十八票）が圧勝したが、原発再稼働が争点として機能したといえる。そして、市長選を通じて、浜岡原発の再稼働が市民にとって良いことなのかどうかをきちんと考える機会が与えられた。私は、このことがとても重要であると考えている。原発の再稼働という大きな争点に対して、当事者である市民が意思を表明する機会が与えられることは、地域民主主義の成熟には極めて大切なことだ。

しかし、今回の市長選では、そもそも原発の再稼働が争点とはならなかった。加えて、仮に再稼働に向かうとしても、安全対策は十分か、他に何か対策を講じる必要性はないのかなど具体的な論戦もなかったように感じる。

御前崎市民は、これからも原発と向き合って生きていかなければならない。市民の原発に対する受け止め方も多様であろう。当選した柳沢新市長が、「対話のまちづくり」を進めたいのであれば、多様な市民の意見を柔軟に受け止めた上で、市民や議会との対話を重視した市政の展開を期待したい。

中日新聞静岡版　二〇一六年四月二四日

下田市長選

任期満了に伴う下田市長選は十二日に投開票が行われ、無所属新人の福井祐輔氏が八千三百二十七票を獲得し、二期目を目指した無所属で現職の楠山俊介氏（四千六百三十八票）を大差で破った。今回の選挙は十六年ぶりの選挙であったが、投票率は67・45％で、前回選挙（80・97％）を13・52ポイント下回った。

今回の市長選挙で争点となったのは、老朽化し、しかも津波浸水想定区域にある市庁舎の移転先である。現職の楠山氏は市長就任後、前石井市長が決定した敷根地区の高台への市庁舎の移転先を、新たに敷根低地の民有地へ変更した。しかし、この変更については、市民の理解を十分に得ることができず、反対の請願運動も起った。それを受け、昨年暮れの市議会では、市庁舎の位置を変更する条例案が否決された。

選挙戦では、市庁舎移転の問題について、楠山氏は原点に戻り、「市民や有識者による再検討委員会」を設置して決定するという方針を提示。一方、福井氏は、楠山氏の打ち出した敷根低地に反対の姿勢を示し、市民の意見を聞きながら市が主導して決定する意向を明らかにした。

結局、有権者は市庁舎の移転先の決定を新人の福井氏に託すという選択をした。福井氏は、移転先について「腹案がある」としているが、選挙戦の中でもその候補地は明らかにされなかった。

今後、福井新市長に求められることは、移転先決定のプロセスを速やかに市民に示すことであろう。市庁舎の移転先については、市民の間でも意見が分かれており、合意形成には時間がかかるかもしれない。まさに新市長のリーダーシップが試されることになる。

今回の市長選では、市庁舎の移転先が争点として注目されたが、それ以外にも、人口減少や高齢化の問題、観光を軸とした地域経済の活性化や防災対策など、新市長が取り組まなければならない課題は山積している。

中日新聞静岡版　二〇一六年六月一九日

県予算案　川勝知事のビジョンに思う

13日に静岡県の２０１７年度予算案が明らかにされた。総額は一般会計で１兆２０５８億円。前年度当初に比べ２・８％減った。静岡、浜松両政令指定市の教職員給与の支払い権限をそれぞれの市に移譲したことが大きい。

私も仕事柄、県や市町の予算編成には関心を持っている。その自治体がどのようなことに力を入れて取り組みを進めようとしているのかが分かるからだ。

県の17年度予算案は、川勝県政2期8年を締めくくるものであると同時に、県総合計画後期アクションプランの最終年度にも当たっている。そのため、予算編成方針は興味深い。

全体のタイトルは「富国有徳の理想郷〝ふじのくに〟づくり〜『ジャパニーズ・ドリーム』の展開と発信〜」。そのもとに三つの方針が明らかにされた。

一つ目は、「『ジャパニーズ・ドリーム』の展開と発信」。二つ目は、「〝ふじのくに〟づくりの総仕上げ」。まさに総合計画後期アクションプラン総仕上げの意味を込めたものだ。そして、最後は「将来を見据えた戦略的な行政運営」であり、財政運営の健全性を確保し、政策調整機能を知事直轄組織へ集約するという組織再編をねらったといえる。

今回、新たに「ジャパニーズ・ドリーム」という言葉が加わった。川勝平太知事は、将来ビジョンを示すキャッチコピーを発信することに長《た》けている。「富国有徳」「日本の理想郷」「日本のみやこづくり」——。これらはすべて知事の言葉である。知事はこのような言葉を巧みに使いながら静岡県の将来の姿を語ってきた。そのスケールが大きいので、興味をそそられる県民も多いと思う。

今回の「ジャパニーズ・ドリーム」は、今後10年間の静岡県の基本理念を示したものであり、「世界から憧れを呼び、誰もが努力すれば報われる社会」を日本に先駆けて築くという。確かに、心引かれるキャッチコピーである。

知事のビジョンである、「日本の理想郷」や「日本のみやこ」、そして「ジャパニーズ・ドリーム」。私たちはこれらのビジョンが実現することを願いたいが、知事から新たな「ビジョン」が発せられるたびに、疑問に思うことがある。それは、一体どのようなことが達成され、どのような状態になった時に、静岡県は「日本の理想郷」になり、「日本のみやこ」になるのか、ということだ。

「ジャパニーズ・ドリーム」も同様である。できれば、そのことを知事に尋ねてみたい。ひょっとしたら、静岡県はもう「日本の理想郷」「日本のみやこ」になっている、と返されてしまうかもしれないのだが。

朝日新聞静岡版　二〇一七年二月二三日

県民自身の川勝県政評価も大切

七月に二期目の任期満了を迎える川勝県政。六日には、県議会最大会派である自民改革会議が、そして二十日には第二会派のふじのくに県民クラブがそれぞれ検証・評価結果を発表した。

それぞれの会派における検証・評価の視点は異なるため、単純に双方を比較することはできないが、自民改革会議（十二分野を五点満点で評価）の総合評点は「二・二点」、ふじのくに県民クラブ（会派マニフェストの重点施策に対応する施策二十七項目を五点満点で評価）は「三・七点」であり、検証・評価結果に違いがみられた。点数だけを比較すれば、自民改革会議は及第点とは言えず、他方ふじのくに県民クラブの評価は及第点ということになる。

県民からすれば、会派による検証・評価結果を一方的に示されても戸惑ってしまう。双方の評価基準等を詳細に比較しないと、検証・評価結果の意味を理解することができないからである。

とはいえ、二十日から開会された県議会二月定例会では、これらの検証・評価結果をもとに代表・一般質問がなされることになるが、県民としては、議会で展開される川勝平太知事との論戦に期待したい。論戦の中で、川勝県政二期目の実態が明らかになれば、県民自身が自らの視点で川勝県政の「通信簿」をつけることができるからだ。

今年夏には、県知事選挙が予定されているが、川勝知事はいまだ出馬に向けて態度を明らかにしていない。仮に三期目に向けて立候補することになっても、県民自身が川勝県政を評価する視点を持つことは極めて大切なことである。

静岡県には、人口減少をはじめ、雇用対策や地域経済の活性化、健康・福祉・医療政策、さらには災害への対応など、取り組むべき課題は山積している。県民は県議会の評価にとらわれず、自らが評価者になって、川勝県政二期目を評価してみたらどうだろうか。

中日新聞静岡版　二〇一七年二月二六日

地方議会　市民への情報提供が鍵

任期満了に伴う静岡市議会議員選挙が、17日に告示された。投票日は26日で即日開票される。定数は静岡市葵区17、駿河区14、清水区17の計48である。今回は市全体で59人が立候補している。

日本の地方議会議員と首長は自治体運営における「車の両輪」であり、双方とも住民の直接選挙によって選ばれる私たちに身近な存在であるが、任期は地方自治法で４年と定められ、４年に1度行われる選挙に寄せる有権者の関心はそれほど高いとは言えない。静岡市議選の場合、過去３回の投票率は、２００５年53・35％、09年51・41％、そして前回13年は45・65％で、選挙のたびに投票率が下がっている。

◇

ところで、地方議会には、①住民の意見集約や利害の調整②政策の立案と提案③自治体の意思決定(議事機関としての役割)④行政活動の監視―と大きく四つの役割が期待されている。このような役割が十分に発揮されているかどうか、４年に1度、有権者の審判を仰ぐことになる。

有権者からすれば、議会がどのような活動を行っているのか分からなければ、評価のしようがない。市議選で投票率が低迷している原因の一つも、どうやらそのあたりにありそうだ。

静岡市議会では、議会がどのような活動を行っているのか、ウェブサイトを使って情報発信していると思う。しかし、日常的にウェブサイトを見て議会活動をチェックしている市民はそれほど多くはないだろう。

したがって、市議会の活動を市民に伝えるため、様々な媒体の活用の仕方を検討することが必要だ。

◇

静岡市議会では、12年に議会の最高規範である「議会基本条例」を制定し、その条例に基づいて議会改革を進めている。昨年9月には『静岡市議会における議会改革への取組―平成25年～28年』を公表した。市議会のウェブサイトに掲載されているが、静岡市民はこの情報をどれほど知っているだろうか。

この報告書は市議会の自己評価書であり、まさに市議会の「仕事ぶり」を明らかにしたものの一つである。市民は報告書をもとに市議会の4年間の取り組みを知ることができる。私は議会のこのような取り組みを評価したい。しかし、多くの市民にその内容が伝わっていないのだとしたら、せっかくの良い取り組みも台無しになってしまう。

市議に向けられる市民の目線は厳しさを増している。今こそ、市議会の「仕事ぶり」をきちんと市民に伝えること、それが大切だ。

朝日新聞静岡版　二〇一七年三月二三日

気になる投票率

県内の「ミニ統一地方選」が終わった。四月十六日に、四市町（磐田、掛川、伊豆の国、西伊豆）

で首長・議員選、袋井市（袋井市長選は無投票当選）で市議選の投票が行われ、即日開票された。磐田、掛川、伊豆の国市長選は現職が当選し、西伊豆町長選は新人が現職を破り初当選という結果であった。そして、五市町の議員選も当選者が決まった。

今回の「ミニ統一地方選」で気になるのは、やはり投票率である。無投票の袋井市長選以外の首長選と議員選で、すべてが前回投票率を下回った。特に袋井市議選の投票率は53・85％で前回（66・47％）を12・62ポイントも下回っている。これは、市長選が無投票になったことも原因だろう。それにしても、今年に入り、県内のどの選挙も投票率が前回を下回るという傾向が続いている。

どうすれば、有権者の心を投票所へ向かわせることができるのだろうか。確かに、有権者の心を揺さぶるような大きな争点が提示されないことがあるかもしれない。しかし、地方選挙は首長選にしろ、議員選にしろ、次の四年間を託す人を決める大切な機会だ。

今、県内のどの市町も人口減少や少子高齢化をはじめ、いろいろな課題に直面している。もちろんそのよう課題を解決するため、各市町ともさまざまな取り組みをしている。限られた財源の中で、より効果的・効率的な取り組みを行っていくためには、首長を中心とする執行機関の打ち出すさまざまな施策がうまく機能しているのかどうか、議会がきちんとチェックすることが大切だ。そのようなチェック機能を果たし、市民を交えてより有効な取り組みを提案していくという役割も議会には求められる。

もし、多くの有権者が選挙を通じて、首長や議員としてふさわしい人を選ばなければ、仮に何かが起こり市民に不利益が生じても、そのつけを払うのは私たち自身であることを忘れないようにしたい。

中日新聞静岡版　二〇一七年四月二三日

県政継続か刷新か　政策論争に期待

自身の去就をなかなか明らかにしなかった川勝平太知事。先月25日の定例記者会見で、ようやく3選に向けての立候補を表明した。

県知事選挙は、6月8日に告示され、25日に投開票される。川勝知事が4月に入ってもしばらく意向を明らかにしなかった一方で、民進党の細野豪司衆院議員（静岡5区選出）の立候補の可能性が報道され、同党の渡辺周衆院議員（同6区選出）も自身のブログで、川勝知事の不出馬を条件に立候補を示唆していた。

川勝知事は4年前の選挙で、県知事選最多の１０８万票を獲得し、自民党が推す候補にトリプルスコアで勝利を果たした。そして、2期目の県政運営も1期目に続き、「日本の理想郷」や「日本のみやこづくり」といったビジョン達成に向けての取り組みを進めてきた。私には、川勝知事自身が、2期8年の実績について、かなり自信を持っているという印象があった。そのため、3選出馬は必然のこととして受け止めていた。とはいえ、川勝知事は3選に向けて、自民党県連が推す候補をみてから態度を明らかにしても遅くはない、と思っていたのだろう。

もし、川勝知事が自分よりも優れていると思う人が出馬宣言した場合には、自ら身を引くことも選択肢の中にあったのではないか。しかし、川勝知事からすれば、そのような人はごくまれであって、自分に勝てる相手はそう簡単には見つからないと思っていたはずだ。

川勝知事が出馬宣言をしたことにより、次の関心事は、選挙戦になるのかどうかということであったが、今月1日に動きがあった。溝口紀子氏が記者会見を行い、大学教授職を辞して、無所属で立候補することを明らかにした。

独自候補擁立を目指したが難航し、細野豪司氏が立候補した場合の相乗りも検討したが不調に終わった自民党県連では、宮沢正美幹事長が出馬の意向を示した。しかし、宮沢氏の意向は県連内で合意を得られず、翌2日に立候補の意向を撤回。結局自民党は独自候補の擁立を断念することになった。

川勝知事は、4月11日の記者会見で、投票率が5割を切った場合には、即辞職するという発言をしたが、25日の会見でそれを撤回した。川勝知事は時折、大胆な発言で周囲を驚かせる。今回の発言も確かに制度上可能かもしれないが、あまりにも思慮を欠いていたと思う。場やタイミングをわきまえて発言することも、政治家として必要な資質の一つではないだろうか。

今後は、川勝県政の継続か刷新か、そこに焦点が移る。告示まで1か月を切った今、立候補予定者による政策論争を期待したい。

朝日新聞静岡版　二〇一七年五月一一日

県知事選の構図

六月八日に告示、同二十五日に投開票される静岡県知事選挙。ようやく選挙戦の構図が明らかになりつつある。今のところ、現職の川勝平太知事とバルセロナ五輪女子柔道銀メダリストで大学教授であった溝口紀子氏が立候補を予定している。

川勝知事は民進党県連と連合静岡の支援を受け、選挙戦に臨む。一方、溝口氏の支援は今のところ市民団体が中心。県知事選挙は県内全域が対象となるので、選挙に向けての体制整備が急務であろう。

ところで、独自候補擁立が不調に終わった自民党県連の動きが気になる。溝口氏の立候補表明を受けて、いち早く動いたのが自民党静岡市静岡支部であり、今月八日に溝口氏推薦を決めた。さらに、十二日には同清水支部なども推薦を決定した。しかし、自民党県連としての対応は二十二日に開催される県連大会で正式に決定されるようであるが、今のところ自主投票になる可能性が高い。

川勝知事に対しては、距離を置いてきた自民党県連。県議会最大会派の自民改革会議は、今年二月の川勝県政総合評価では、「二・二点」（五点満点）という低い点数をつけた。明らかに県知事選に向けた、県議会自民党会派としての川勝知事へのメッセージだったと思う。それにもかかわらず、残念ながら独自候補を擁立できず、川勝知事への対立軸を提示することができなかった。

今回の県知事選挙は、川勝県政八年の成果を県民が評価する機会だ。川勝知事の取り組みはどうだったのか、選挙戦を通じて県民も共に考えるきっかけを持つことが大切だ。そうだとすれば、川勝知事とは異なる視点から政策が論じられ、県民の選択肢が増えることが望ましい。

県知事選挙の投票日まで一カ月以上あるが、今後の静岡県のかじ取り役にふさわしい人は誰なのか、そのような視点で政策論争に耳を傾けたい。

中日新聞静岡版　二〇一七年五月二一日

政策論じ合える環境に力入れる

6月8日告示、25日に投開票される静岡県知事選挙の公開討論会が、5月26日に三島市民文化会館で開催され、私はコーディネータを務めた。今回の公開討論会には、すでに立候補を表明した川勝平太知事と、バルセロナ五輪女子柔道銀メダリストで大学教授職を辞して選挙に臨む溝口紀子さんの二人が登壇し、論戦を繰り広げた。

私が県内の首長選挙の公開討論会と関わりを持ち始めたのは、２００５年の静岡県知事選からだった。政策重視の選挙を推し進めるためには、やはり立候補予定者同士の討論会が必要だと思い、当時公開討論会の実施を前向きに検討していた青年会議所の静岡ブロック協議会の皆さんと連携して公開討論会を実現した。

公開討論会は、公示または告示前に立候補予定者がパネリストとして参加し、自らの主張を述べる場である。公開討論会を始めた頃は、認知度も低く、会場へお越しいただく聴衆も少なかったが、その後、国政選挙や市町の首長選挙でも開催されることになり、次第に有権者の関心も広がってきたと自負している。とはいえ、まだ盛り上がりが十分ではないと感じる。

ところで、公開討論会では、限られた時間（通常2〜3分程度）の中で、自身のビジョンや政策について語っていただくので、自分の主張をどれだけコンパクトにまとめて聴衆に伝えることができるのか、話力がものをいう。聴衆は、立候補予定者を間近にして、相互に見解を戦わす様子をみることができるので、おのずと誰が国会議員や首長にふさわしい人であるのかを考えることができる。このような公開討論会を、青年会議所だけではなく、近年は市民団体も実施する機会が増え、とても良いことだと思っている。

さて、今回の県知事選の公開討論会。私にとっては4回目。川勝知事とは3回目の顔合わせであった。テーマは三つ。①知事就任後の重点政策②県東部地域の今後の発展とその可能性③県の人口減少—についてであった。以上に加えて、県と市町の今後の関係性についても尋ねた。今回は、コーディネータからの介入は少なくし、相互に発言権を行使して、補足や相手方への質問の機会を使い、少しでも白熱した議論を展開していただこうという仕掛けであった。

立候補表明後、初めて顔合わせをしたお二人。川勝知事は、何でも受けて立つという姿勢で余裕すら感じられたが、溝口さんは少し遠慮がちで、川勝知事の発言への切り込みに少し迫力を欠いていたというのが、私の印象であった。

本来選挙でものをいうのは、政策の切れ味であると思う。このような公開討論会を通じ、政策を競い合う場をつくり出していくことは重要だと感じている。今後も有権者の側に立ち、政策を論じあえる環境をつくり出していきたいと考えている。

朝日新聞静岡版　二〇一七年六月一日

２０１７県知事選告示

今月八日に、静岡県知事選挙が告示された。立候補したのは、届け出順に、無所属で新人の元大学教授・溝口紀子氏と、現職の川勝平太氏。二十五日に投開票される。

今回の県知事選挙の注目点は、二期八年の川勝県政の取り組みを有権者がどのように評価するのかということである。川勝知事は、就任当初より、「日本の都」、「日本の理想郷」を静岡に築くことを目指して、県政を運営してきた。今回の選挙では、その成果が問われている。

両者の三大公約（本紙面六月十日朝刊）は、次の通り。溝口氏は、①「静岡県と市町が協力連携する県政運営」②「防災を含む公共事業等による積極的財政運営」③「静岡教育の充実と子育て・福祉の充実」である。それに対し、川勝氏は、①「命を守る（防災先進県の実績にあぐらをかかない）」②「福祉の充実（社会的弱者をとことん支える）」③「暮らしを豊かに（お金に換えられない幸せ感を醸成）」を掲げている。両者とも、防災を中心とした安心・安全と「福祉の充実」といった面で共通点がみられる。一方、違いもある。溝口氏は、県と市町の連携・協力を重視するのに対し、川勝氏は、暮らしの豊かさを実現するとしている点だ。

「静岡大刷新」を訴える溝口氏に対し、川勝氏は「県政の実績評価」を主張しているが、両者の主張に対し、その審判を下すのは有権者一人一人である。

ところで、今年に入り、すべての県内選挙で投票率が前回を下回っている。県知事選挙でも投票率が気になる。八日に行われた英国総選挙では、事前の予想に反し投票率が上昇した。それを支えたのが十八～二十四歳の若者であったという。

今回の県知事選挙で、十八歳、十九歳の県内選挙人名簿登録者数は六万九千七百五十三人。これから県知事選挙も後半戦に入るが、若者の心に届く政策論争になることを期待したい。

中日新聞静岡版　二〇一七年六月一八日

対抗ビジョン示せず　無効票が増加

25日に投開票が行われた県知事選挙。無所属現職の川勝平太氏が無所属新人の溝口紀子氏を退け、3選を果たした。

川勝氏の得票数は83万3389票（得票率59・67％）、一方の溝口氏は56万3316票（同40・33％）。両者の票差は約27万票であった。そして、投票率は46・44％と前回選挙（49・49％）を3・05ポイント下回った。

今回の選挙で興味深いのは、無効投票が前回の2・5倍（前回9854票、今回2万4735票）もあったことである。私は、この数字が今回の選挙を象徴しているように思う。つまり、争点の構図が分かりにくく、両者の違いが見えにくかったということである。川勝県政の継続か刷新かということで争われた選挙であったが、投票に際し、有権者の複雑な思いが、無効投票という形で示されたのかもしれない。

現職の川勝氏に果敢に挑んだ溝口氏であったが、静岡市以外では川勝氏の後塵《こうじん》を拝し、互角に戦うことができなかった。その敗因はどこにあったのだろうか。私なりに思うところを記してみたい。

一言で言ってしまうと、「チャンピオン」である川勝氏に挑むには準備不足であったということである。溝口氏が正式に立候補を表明したのは5月1日。告示日まで約1か月あったが、その間、自民党との関係構築に相当エネルギーを費やしたのではなかったか。確かに、県内数千カ所に及ぶポスター掲示のことを考えると、機能する選挙組織の構築は不可欠であった。しかし、最近の選挙で物を言うようになったのは、政策の良しあしである。まさに政策を競い合うという側面が強調されるのである。

そのような最近の傾向からすれば、出馬表明以降の時間で、もっと政策を練り上げる必要があったと思う。相手は、前回選挙で108万票を獲得した川勝氏である。その壮大な県政ビジョンに対抗できる魅力的なビジョンの提示がなければ歯が立つはずがない。もし、溝口氏が選挙戦で、川勝県政に対抗できるビジョンを提示できていれば、選挙戦は盛り上がったはずだ。

「日本の都」「日本の理想郷」「世界レベルのふじのくに」。これらは川勝県政のビジョンのフレーズとして語られてきたものだ。川勝氏は県民の心をつかむ言葉選びがとても巧みだと感じる。そのような壮大なビジョンに対抗できるビジョンの提示を、県民は溝口氏に期待していたのではなかったか。まさに、現県政への対抗的ビジョンの提示とそれに付随する政策の練り上げの点で、溝口氏は力を発揮できなかった。

一方、川勝氏は、自らの8年の県政運営の中で、まさに「世界レベルのふじのくに」の県になったことを示し、3期目はその総決算だと県民に訴えた。そのように県民に語りかける川勝氏に、有権者はもう4年を託す選択をした。これから3期目を迎える川勝県政。選挙戦で訴えた政策の実現に全力を傾けてほしいと願う。

朝日新聞静岡版　二〇一七年六月二九日

浜松市の行政区再編

現在、浜松市において、行政区再編の議論が行われている。人口減少と超高齢化の進展、増大が見込まれる社会保障支出、さらには社会インフラの老朽化を見据えた時、まだ財源等に余裕のある今のうちに、持続可能な行政サービス提供の仕組みを構築しておくことが必要だということで、行政区の見直しが始まった。現在七区ある行政区の見直しは、二〇一五年四月の市長選挙において三選を果たした、鈴木康友市長の選挙公約でもあった。

浜松市議会では、同年五月より「行財政改革・大都市制度調査特別委員会」を設置し、検討を開始。その後、市は二区案、三区案を中心に具体案を提示してきた。そして、鈴木市長の任期が一年を切った今年五月以降、市は計三案（二つの二区案と一つの三区案）をもとに市内五十の地区自治会連合会で意見聴取を行った。

九月には市が住民の意見を反映した、「新三区案」（天竜区と浜北区を残し、旧浜松市域を一つに合区）を追加したが、市議会特別委員会では意見集約に至らず混迷を深めた。その後、先月二十七日に、鈴木市長は行政区再編に慎重姿勢を崩さない市議会最大会派自民党浜松と協議行ったが決裂。

結局、鈴木市長は住民投票を決意。三十日に「行政区再編の賛否を問う住民投票条例案」を市議会に提出した。

市長と市議会の判断が分かれる案件において、直接市民の意向を確認する手法として住民投票がある。日本の地方自治制度のもとにおいては、市長をはじめとする首長と議会が緊張関係にあることは織り込み済みだ。両者が論点を明らかにして討議を進め、解決策を見出すことが望ましいし、それが有権者への責任の果たし方だと思う。しかし、そのような議論が不調に終わった時、やはり主権者である市民の声を聞いて、最終判断を下すというのも成熟した民主主義の一つの形であろう。

中日新聞静岡版　二〇一八年一二月九日

「平成」最後の統一地方選

四月七日に統一地方選挙前半戦の投開票が行われた。五月一日からは元号が「平成」から「令和」に変わることから、「平成」の時代最後の統一地方選挙であった。

静岡県内では、静岡・浜松両政令市長選、静岡県議選、さらに浜松市議選と静岡市議補選ならびに浜松市の行政区再編に伴う住民投票が行われた。

静岡・浜松両市長選では、両市とも現職に対し、新人二人の候補が挑戦するという構図であった。選挙結果は、両市とも現職が逃げ切り、当選を果たしたが、今後の市政運営については、課題も明らかになったと言える。

静岡市については、清水区の有権者の田辺市政に対する不満が表面化し、保守系無所属候補がその受け皿となった。その結果、三期目の当選を果たした田辺信宏氏にとっては、清水区への対応が大きな課題となる。

浜松市では、三期にわたる鈴木市政への評価が問われたが、有権者は鈴木康友氏に四期目を託した。しかし、同時に行われた行政区再編に伴う住民投票において、市が提案した現行の七区を三区に再編する案は、反対が賛成を上回った(反対十九万三百五十一票、賛成十三万二千二百四十九票)。加えて、市議選では、再編に慎重な自民系候補が半数を超えて当選したことにより、行政区再編は四期目の鈴木市政にとって、大きな課題となりそうだ。

今回の住民投票で明らかになったことは、行政区の再編を前向きにとらえる有権者が再編そのものに「反対」する有権者をわずかに上回ったことである。四期目の当選を果たした鈴木氏は、行政区再編をやり遂げる意向を明らかにしているが、今後住民の声を丁寧にくみ上げ、市議会と建設的な議論を進めることが求められる。一方、市議会も将来の浜松市を視野に入れ、行政区再編の明確な方向性を示すことが必要だ。その意味では市議会も責任が重いと言えるだろう。

中日新聞静岡版　二〇一九年四月一四日

四、地域をつくり、ささえる人々としくみ——日本と海外——

老人クラブの刷新

静岡県老人クラブ連合会（県老連）が設立五十周年を迎えた。半世紀に及ぶ活動でさまざまな成果を残してきたが、平成に入ってからは単位クラブ数、会員数の双方とも減り始め、その流れが止まらない。ピーク時の平成三年には、クラブ数四千、会員数二十四万人を擁する組織であったが、それから二十年後の平成二十三年には、クラブ数二千六百、会員数十五万人まで減少してしまった。

老人クラブへの加入者の減少という事態は静岡県ばかりでなく、全国的な現象でもある。このクラブは「老人」の集まりというイメージが定着してしまったことも一因だろう。今、日本は五人に一人が六十五歳以上という超高齢社会を迎えている。確かに高齢者は増えているが、平均寿命も延びている。六十五歳を超えても、意識の上では「老人」というくくりの中に入れられることに抵抗感もあることだろう。そうであるとすれば、「老人クラブ」という名称を変えればよいと誰しもが思う。しかし、「老人クラブ」は「老人福祉法」により、「老人福祉の増進」を図る活動を推進する組織として位置づけられているため、名称そのものの変更は難しいようだ。

そこで、県内の老人クラブは四月一日より、愛称を設けることになり、「シニアクラブ」と称することになった。愛称が設けられても、その中身が変化しなければ意味はないのであるが、県老連では組織の刷新に向けて「イメージアップ研究会」を設け、新しい時代に対応した組織のあり方を検討したという。その結果の一つが愛称の創設というわけだ。

今、高齢化が進んだ地域社会においては、皆で地域の人々を見守り、支え合えるような仕組みづくりが求められている。「健康・友愛・奉仕」を理念に発足した老人クラブの取り組みが、今や地域社会で活かされる時がやって来たように感じられる。愛称の創設とともに組織の刷新に向けての取り組みが始まったシニアクラブ。今後、新たな会員を増やし、活動のさらなる発展のためには、時代の変化に対し、柔軟な対応ができるかどうかにかかっている。

中日新聞静岡版　二〇一三年二月一七日

インドネシア訪問

三月中旬にインドネシア・ジャワ島中部の中心都市ジョクジャカルタ市を訪れた。インドネシアも日本同様、地震や津波に加えて火山の噴火がもたらす災害を経験している国である。

そのような大災害が発生した後、地域社会はどのように復興を遂げていくのか。特に被災した地域のコミュニティに注目し、その役割をインドネシアの経験から学ぶのが今回の目的であった。

ジョクジャカルタ近郊地域は、二〇〇六年五月にジャワ島中部地震（マグニチュード6程度）に見舞われ、一〇年十〜十一月にかけては、活火山であるムラピ山の大噴火による火砕流や土石流の被害を受けている。今回の訪問は三カ年にわたる調査研究の初年度でもあり、地震や火山噴火による被災地の視察だけでなく、二年目の本格的調査に向けてカウンターパートであるガジャ・マダ大学工学部の研究者と交流し、被災地における住民の意識調査の実施方法についても意見交換した。

　地震による被災地の視察では、ジョクジャカルタ市近郊のカソンガン村を訪れた。この村は素焼き陶器で有名な村であったが、地震により、レンガ造り住宅の多くが倒壊して多数の死傷者が出たばかりか、陶器産業も相当の被害を蒙《こうむ》った。

　村の復興には陶器産業の復興が不可欠となり、海外からの支援も受け、陶器産業再生の取り組みがなされた。その一つに、「コモン・サービス施設を通じた生活復興」というものがある。この中で目を引くのが、工房等生産設備を失った職人たちが協同組合を設立したことである。職人たちが共同の仕事場を所有し、製造技術をともに磨き合うと同時に、生産した商品の市場へのアクセスについても連携して対応していくという仕組みである。もちろん、協同組合には公的組織のサポートもあったが、何よりも地域住民の前向きな取り組みが功を奏したと考えられる。

　地震や火山噴火に対する脅威は日本も同様である。今回インドネシアを訪問したが、日本もソフト面に関し、この国から学ぶことが多くあることを感じて帰国した。

中日新聞静岡版　二〇一三年四月一四日

大地震への備え

五月末、内閣府の有識者による作業部会が南海トラフ巨大地震対策の最終報告を明らかにした。私もこの報告書を読んだが、南海トラフ地震の被害想定がかなり大きなものであり、それに対する備えについては、従来の認識を改める必要があることを痛感した。

地震を含め、災害への対応については自助、共助、公助ということがよく言われる。今回の最終報告では、行政主体の対応には限界があり、「自助」や「共助」に期待が寄せられていると感じた。

報告書の中に、「超広域の被害への対応」という項目がある。そこでは、南海トラフ地震が広範囲に及ぶため、緊急支援物資が被災地へすぐに到着しないことが前提とされており、そのため「水や食料」などは一週間分以上を家庭で備蓄することが求められている。

これまで緊急時の対応に関して私たちが理解していることは、三日間もちこたえれば救援の手が差し伸べられるというものである。しかし、南海トラフ級の地震が発生した場合には、そのような認識では対処できないようである。

家庭で一週間分の水や食料を貯蔵する。いざやってみるとなかなか難しいところがあるかもしれない。私が通っているキリスト教会では、非常時（災害ばかりでなく失業といった不足の事態も想定）

のための備えとして、もう何十年も前から家庭貯蔵の大切さを教えている。そのため私の家庭でもいくばくかの貯蔵を実践してきた。

まず、大切なことは主食をそろえることである。わが家は玄米を一年分ほど蓄えている。玄米であれば二〜三年は保存が効く。市販の小型精米機で精米してから食べる。停電時には小型のソーラー発電器を活用すれば電源の心配も不要だ。他に缶詰も便利である。

蓄えたものを日常的に使用し、その分を補充する「ローリングストック」を行うことが重要であろう。水は少々大変であるが、ペットボトルを蓄えている。貯蔵場所もその気になると何とかなるものだ。これほどまでに備えの大切さを喚起されている今、自分自身でできることを実行する。まさに「自助」の姿勢が求められている。

中日新聞静岡版　二〇一三年六月九日

超高齢社会を生きる

毎年九月中旬（第三月曜日）になると「敬老の日」を迎える。今の豊かな日本を築いてくれた高齢者が、生き生きと元気に過ごしている様子を見ることはとてもうれしいことである。

総務省の発表では、今年総人口に占める高齢者（六十五歳以上の人）の割合が25％に達したことが明らかとなった。高齢化率が21％以上になると超高齢社会と呼ぶ。今や日本は紛れもない超高齢社会である。日本人の四人に一人が高齢者ということになり、今後も高齢者の数は増えていくことであろう。

　私たちが歳を重ねても、毎日元気に生きられることはとても素晴らしいことだ。人が健康上何ら問題なく日常生活を営むことができる期間を示す指標として、健康寿命というものがある。静岡県はこの健康寿命が、男性は全国二位（七一・六八歳）で、女性は全国一位（七五・三二歳）。男女を合計すると全国一位（七三・五三歳）ということである。このようなデータから、静岡県内の高齢者は健康上の問題をあまり抱えることなく生活していることが証明された。

　高齢者がこれからも地域社会で生き生きと暮らしていくためには、社会のいたるところで高齢者に配慮した取り組みが必要とされる。高齢者が暮らしやすい環境は、誰にとっても快適なはずだ。最近、高齢者に優しい環境を築くさまざまな取り組みが目につくようになった。例えば、高齢者にとって重要な移動手段であるバスを利用しやすいようにする取り組み（添乗員による高齢者サポートバス実証実験）、企業と介護施設が連携した介護ロボットの開発と普及、また、一企業や地域が率先して認知症サポーター資格を取得することなど、数え上げればきりがないくらいだ。

　日本は諸外国に比べて超高齢社会に到達するスピードが極めて速く、高齢化に向けて社会構造をゆっくり改造していく時間的余裕がなかった。今後、私たちに求められるのは、超高齢社会を生き抜ける態勢を着実に築き上げて行くことであろう。そのために今、官民が連携して、その取り組みを進めて行くことが必要とされている。

中日新聞静岡版　二〇一三年九月二二日

女性への期待

かつて小児科医・社会評論家として活躍した松田道夫が晩年、『私は女性にしか期待しない』（岩波新書、一九九〇年）という本を著した。松田は約九十年に及ぶ生涯を常に女性と子どもの立場に立ち日本社会を見通した。その行き着いた結論が、「草の根のところでデモクラシーを実現できるのは女しかない」ということだった。

私は、この著書が発行された時、当時としてはタイトルがかなりラジカルであったことに惹《ひ》かれ購入して読んだが、内容はまったく合点のいくことばかりであった。それから二十年以上過ぎたが、松田がかつて放った「女性への期待」のメッセージはますます輝きを増しているように感じる。

日本では、男女共同参画の機運が高まった九九年に「男女共同参画社会基本法」が制定された。その前文では、男女共同参画の取り組みが「二十一世紀の我が国社会を決定する最重要課題」だと位置付けている。この法律が制定されてから日本でも「男女共同参画」の取り組みが本格化した。しかし、政治・経済面における男女平等の度合いに関する国際比較では、世界に大きく後れをとり、日本は一三五カ国の中で一〇一位という状況である。

このような現状を変えていくためには、意思決定過程において女性の地位を高めることが重要である。安倍政権が推進する成長戦略では、女性の活躍促進が強調され、今後女性が活躍できる環境整備に期待が寄せられている。

また、自治体でも女性の力を政策形成の中で活《い》かそうとする取り組みが進められている。私も静岡県や三島市、そして滋賀県日野町が主催する女性向け政策講座に関わっている。

三つの自治体で行われる講座では、毎年四〜五回程度のワークショップを行い、地域課題を解決するための方策を検討する。そして、講座の最後で成果発表会を行っている。その時いつも感じるのは、地域の政策には女性の視線が極めて重要であるということだ。

これから日本が変わるきっかけは、このような地道な取り組みを通じて、政策に感度の良い女性たちが育つことにあるかもしれない。

中日新聞静岡版　二〇一三年一〇月二〇日

公共サービス改革の最前線

十月末にイギリスを訪れた。目的は、イギリスにおける公共サービス改革の最前線の取り組みを調査することであった。

イギリスは一九七九年に誕生したサッチャー政権以降精力的に公共サービス改革を推進し、この面で常に世界をリードし続けている。サッチャー政権以降政権交代はあったが、公共サービス改革に向けての基本的なスタンスは変わることがない。その底流に流れている理念は「公共は官の独占物ではない」ということである。そして、常に効率的でより良い成果を生み出すにはどのような方法があるのかということを追求している。日本も九〇年代以降、公共サービス改革に関し、イギリスからさまざまな取り組みを学んできた。

今回注目した取り組みの一つがソーシャルインパクト・ボンドである。この取り組みは社会が直面する課題を解決するため、その活動資金のすべてに税金を投入するのではなく、民間（例えば、個人、法人、財団等）からの投資を受け入れることにより、財政コストを削減しようとする「官民連携型の社会投資スキーム」である。

具体的には、政府が受刑者の再犯率低下や若年者の就労支援といった社会課題解決に取り組むNPOや社会的企業を選び、それらのサービス提供に必要な運営資金を社会的投資家から投資してもらい、サービス提供団体がプログラムを実施する。その結果、例えば再犯率低下といった成果が生み出されると政府にとっては財政節約だけではなく、広く社会の利益にもつながるというものである。その際、政府は節約した資金の一定割合を投資家にリターンするのである。社会的投資家にとっては、社会貢献と財務的リターンというメリットがあり、担い手のＮＰＯ等には新たな資金調達の機会を得るというメリットが生まれる。

このようなイギリスにおける公共サービス改革の取り組みは、私にとって大変刺激的であり、示唆的でもあった。現在、国の累積債務が一千兆円を突破してしまった日本において、これからも飽くなき公共サービス改革への挑戦が必要とされるに違いない。

中日新聞静岡版　二〇一三年一一月一七日

「新しい公共」と地域

行政と市民やＮＰＯ、そして企業が連携し、地域が抱える社会的課題を解決しようとする取り組みを「新しい公共」と呼ぶようになった。この概念の発端は、自民党・小渕政権の時代に取り組まれた「二十一世紀日本の構想」懇談会である。その中で、今後の日本社会が進むべき道として提示されたのが「新しい公」という概念だった。その後、政府内で「新しい公共」と呼び換えられ、今日に至っている。

この概念が登場してきた背景には、社会的課題の多様化・複雑化に行政が持てる資源だけで対応するのが困難な状況があったし、一方で社会的課題解決に対応しようとする市民、ＮＰＯの活動が活発化してきたという状況も反映していた。

「新しい公共」という言葉が一般化するに従い、介護・医療・福祉、環境、まちづくり、子育て・教育等、さまざまな領域で行政と市民・ＮＰＯ、企業の連携が模索された。「協働」「パートナーシップ」という言葉も流行し、今や地方行政においては「市民との協働によるまちづくり」といった言葉が多用されるようになっている。

もちろん、「新しい公共」という言葉に対しては、本来行政がしなければならない仕事を市民や企業に押し付けるものではないか、という疑義もある。しかし、市民や企業が行政と連携して新たな公共空間を構成・拡大しようとする取り組みは、決して無意味ではない。市民、行政、企業がそれぞれの立場で役割を担うことができれば、複雑・高度化している地域的課題を解決する絶好の機会になる。今後大切なことは、このような課題解決の枠組みが一層洗練され、相互に役割を担い合える社会を築くことではないだろうか。

新年の幕開けにあたり願うことは、行政や企業ばかりでなく、市民が主体となって活躍できる社会が日本にも築かれていくことである。確かに普通の市民が主体性を養うということは容易なことではない。しかし、今こそそのようなプロジェクトに挑戦すべき時だと感じている。

中日新聞静岡版　二〇一四年一月二六日

「人口移動報告」から

総務省が毎年行っている「人口移動報告」が今年も一月末に公表されたが、この結果は静岡県民にとって、いささかショックであった。というのも、静岡県は転出超過数（転出者が転入者を上回る数）が、最多の北海道（八千百五十四人）に続いて第二位（六千八百九十二人）だったからだ。しかも、全国二十の政令市の中で転出超過は四市（北九州、静岡、堺、浜松）だけ。なんと県内の二政令市がそこに入っているではないか。静岡市の転出超過は七百七十五人、浜松市は四百十一人であった。

静岡県の現状は、転入者数よりも転出者数が上回る状況が続いており、このままの状態が続くと、ますます人口が縮小することになる。この状態をほっておくことはできない。何か打つ手はないものだろうか。

原因の一端に、県内の雇用状況が悪化していることがあるようだ。特に、二〇〇八年に起こったリーマンショック以降、県内経済の回復が十分でなく、雇用情勢が好転していないようである。静岡県は「モノづくり県」であるので、製造業が調子を回復してくれないと雇用情勢も改善しそうにない。このような状況の中で、できることを一つ一つ着実に積み上げていくことが大切だろう。

人口移動の動向を分析すると、転出者が多いのは二十歳代のようだ。静岡県が若者世代に魅力のない県だとは思えない。この世代を繋ぎとめられるような雇用の場を確保することが極めて大切なことだ。この世代が、県内で職を得、その後結婚して子供を育て、さらに職場でも地域社会でも生き生きと活躍できるような環境を創出することを優先しなければならない。

そのために、これまで静岡県の経済をけん引してきた製造業だけでなく、新たな産業を育成していくことも検討しなければならない。さらに防災関連産業や中小企業の活性化も役立つ。そして、県が主導している「内陸フロンティア」の取り組みも地域活性化に役立つはずだ。今は考えられる取り組みを実践する時である。

中日新聞静岡版　二〇一四年二月二三日

災害後の回復力

東日本大震災から丸三年が経過した。被災地の復興は進展しつつあるが、いまだ十分であるとはいえない。特に、福島第一原発事故によって放射能に汚染された地域の復興は、ほとんど進んでいないと言っても言い過ぎではない。大地震など大災害に見舞われた地域が、その後どのように復興していくのか、その過程を調べてみることは大変興味深いことである。

今年二月、私はインドの南東部に位置するタミール・ナデュ州のチェンナイ（マドラス）からさらに南に位置するカッダーロールという地域を訪れた。この地域は、二〇〇四年十二月二十六日に発生したスマトラ沖地震による津波被害に見舞われた地域である。マグニチュード9を超える巨大地震によって発生した津波は、ベンガル湾を襲い、インドの東海岸に位置する地域をのみ込んだ。カッダーロール地域も例外ではなく甚大な被害を受けた。あの地震から丸九年が過ぎ、現地の復興の状況はどうなのか。それを調査することが今回の目的であった。

調査地域はすべてが漁村であり、集落のほとんどが人的・物的両面にわたって甚大な津波被害を受けた。しかし、現在は大分復興が進み、現地での生活も落ち着きを取り戻していた。

津波で打撃を受けた集落は他の場所に移転が終了し、住宅も再建されて津波被害前の生活が取り戻されていた。調査して分かったことは、政府機関やＮＧＯ（非政府組織）、地域の自助組織、地縁団体等が相互に連携して生活再建に当たっていたことである。男たちは漁業の再建に当たり、津波で失った漁船や漁具調達の支援を受けた。そして、それまで家事についていた女性たちにはマイクロクレジット（少額融資）が提供され、簡易な仕事を営むことができるようになった。それが家計を助けることになっているようだ。

大きな災害に見舞われても回復力のある社会を築くことはとても大切なことである。国の事情は異なるが、今回インドの調査から学んだことは多かった。

中日新聞静岡版　二〇一四年三月二三日

若年女性が減少する地方

地方から東京など大都市への人口流出が現在のままのペースで続くと、二〇四〇年には出産可能な若年女性（二十〜三十代）が半分以下になる自治体が約五割に上る。こんなショッキングな記事が本紙五月九日付一面に掲載された。

このデータは民間有識者でつくられた「日本創生会議・人口減少問題検討分科会」が明らかにしたものである。現在日本の市区町村は約千八百あるが、三十年後には八百九十六の自治体で若年女性が現在の半分以下になってしまうというのである。日本の今後の人口動態予測については、すでに国立社会保障・人口問題研究所（社人研）でも推計しているが、今回の試算は社人研の推計（将来大都市への人口流出は一定程度減少するとの前提）とは異なり、人口移動が今後も現在のまま続くとの前提になされたものである。

この数字は、今後地方の少子化にますます拍車がかかり、人口が減少して自治体そのものが消滅へと至る可能性があることを示唆している。そもそも日本の人口が減少するという推計は社人研から定期的に公表されていたわけであるから、もっと早くに手を打つ必要があった。しかし、これまで政治・行政、そしてわれわれ国民にもその意識が薄かったように思う。今回、この試算が公表されて、ようやく多くの国民も事態の深刻さに気づいたことであろう。

現在、安倍政権では国の成長戦略を進めているが、少子化対策は待ったなしである。人口をはじめさまざまな資源が東京に吸い寄せられていく今の社会構造＝東京一極集中を変える絶好の機会が訪れた。日本創成会議でも「ストップ少子化・地方元気戦略」を提唱している。これも今後の方策を検討するための素材である。静岡県内においても、少子化対策に熱心に取り組んでいる自治体が多い。今や行政と民間が連携して、この難題を解決する方策を検討・実施していかなければならない時が到来した。

中日新聞静岡版　二〇一四年五月一八日

先人の言葉に学ぶ

私は最近、「三方よし」という言葉に注目している。これからの日本社会のあり方を考える時に、この言葉がとても大切な意味を持っていると思えるからだ。

そもそも「三方よし」とは、近江商人の商いの理念を表わした言葉で、「買い手よし、売り手よし、世間よし」ということである。端的に言えば、商いを営む商人が自分のことよりも常にお客の事を考え、さらには世の中のことも大切にすべきだということだ。商人が利益を挙げることは決して悪いことではないが、それが行き過ぎても良くないし、常に顧客と社会全体の利益を視野において商いをすべしということで、このバランス感覚に心引かれる。

「三方よし」に込められた理念は、企業経営に最も適合するので、企業の経営理念を議論する場合には引き合いに出されることが多い。しかし、この言葉を企業経営の理念にとどめておくことはとてももったいないと感じる。むしろ、広く私たちが社会全体のことを考える時に、この言葉を使ってみることも有益だと思う。

最近、ある評論で福島大学特任研究員の開沼博さんが、今後の被災地復興に不可欠な考え方として「復興三方良し」という言葉を提唱していることを知った。まさに近江商人の「三方よし」をもじった言葉であるが、開沼さんによれば、支援する側とされる側だけで被災地の復興を考えてもだめで、この両者間の関係性だけでは、復興に関する世間の問題意識は時間の経過とともに低下するだけである。

そこで、無関心な人々にも訴えかける仕組みを構築しなければならないのではないかというのである。私も同感である。社会全体に訴えかけ、多くの人々が自分の問題として受け止める「当事者」としての自覚が醸成されない限り、社会課題を持続的に解決していくことは難しいと感じる。今後、このような「当事者」が増えることが大切である。

中日新聞静岡版　二〇一四年八月三一日

津波被害からの復興の姿

新年早々、インドネシア・スマトラ島の北端にあるアチェ州の州都バンダアチェ市を訪れた。このまちは二〇〇四年十二月二十六日の朝、マグニチュード（M）９・１の大地震に見舞われ、その後の大津波によって壊滅的な打撃を受けたところである。この地震と大津波による被害の状況は、日本でも大きく報道されたので記憶している方も多いと思う。あれからちょうど十年が過ぎた。

バンダアチェ市の郊外にある空港に到着後、自動車で市街地に入ったが、まちはかなり復興が進み、大津波の爪痕をあまり感じることはできなかった。

実は、大津波による被害を受けた当時、バンダアチェ市を含むアチェ州は、分離独立を求めてインドネシア政府と内戦状態にあった。しかし、この津波被害がきっかけとなって休戦協定が結ばれ、〇五年八月に政府との間で和平協定が結ばれた。バンダアチェ市の人々にとって、大津波による被害は確かに大きかったのであるが、現在は内戦の終結と災害からの復興が重なり、住民の生活も安定を取り戻している。

今回のバンダアチェ市訪問の目的は、被災後十年の姿を調査することであった。主に、地域経済の復興の状態を調べ、住民の生活状況の実態に焦点を当てて被災地区でヒアリングを行った。

バンダアチェは港町として発展したまちである。そのため、まちの復興も水産業を中心に支援が行われた。そして、住宅を失った人々のために、内陸部への住宅移転も完了していた。しかし、移転先が市街地より遠く、公共交通機関が十分でないため、通勤や買い物等に支障があるということや、住宅建設を担ったＮＧＯにより、住宅の質に違いがあることに不満を持つ住民がいることもわかった。国は違うとしても、津波被害からの復興の姿には類似点も見られ、相互に経験交流の必要性を感じた調査であった。

中日新聞静岡版　二〇一五年一月二五日

休眠預金の活用

皆さんは休眠預金のことをご存じだろうか。

これは、銀行なら十年、ゆうちょ銀行では五年以上、預け入れや引き出しがなく、本人との連絡も取れない預金のことである。

その総額が、昨年は何と一千億円にも上ったという。休眠預金は、全国銀行協会の規定で、金融機関の収入として扱われている。もちろん、預金者の求めがあればいつでも払い戻しに応じてもらえるのだが、長い時間が過ぎての払い戻し請求はあまり多くないというのが現状のようだ。そのため、払い戻しに応じても毎年五百億円程度は残り、それらが金融機関の収益となっている。

この休眠預金をそのまま眠らせておくのはもったいない。そこで、社会福祉などさまざまな公益的活動のために活用しようという構想が実現しつつある。

昨年四月、超党派の議員連盟が結成された。その後、法案の骨子が練り上げられ、今年五月から六月にかけ、パブリックコメントも実施された。そして、いざ法案提出という段階になってから、自民党の一部議員より「国庫に入れるべきだ」という声があがり、法案の行方が心配された。しかし、今月二十一日、自民党総務会で法案の国会提出が決定されたのである。

今、日本社会には、解決を迫られている社会的課題が山積している。障害者や生活困窮者に対する支援、子どもや若者の支援、過疎など条件不利地域に対する支援などは、なかなか財源の手当てが難しい課題である。しかし、そのような困難な課題解決に挑んでいるNPO法人等が活用できる資金として、休眠預金が活用されるのであれば、日本社会に新しい息吹を吹き込むことも可能ではないだろうか。

今後、大切なことは、国会における法案の可決もさることながら、この制度が円滑に運用できる体制を早期に確立していくことであろう。

中日新聞静岡版　二〇一五年八月三〇日

サンフランシスコ住宅事情

今年九月、十四年ぶりに米国サンフランシスコを訪れた。今回の目的は、シリコンバレーの現状を調べることにあったが、サンフランシスコ市内で住宅事情を聞いてみると、家賃が高騰していることを知って驚いた。

サンフランシスコは、観光で有名な人口八十万人の都市であるが、今、ＩＴ業界が好調なため、空前の経済的繁栄を謳歌《おうか》している。市の経済は観光収入の他に、市内に拠点を置く世界的ＩＴ企業や市内からシリコンバレーに通うテッキー（ハイテク業界で働く人たち）たちによって支えられている。

高額な報酬を得ている独身のテッキーたちは、さまざまな都市機能が集積するサンフランシスコを好み、そこに居住している。毎朝、ＩＴ企業が仕立てたバスに乗り込み、片道約一時間をかけてシリコンバレーに通う。バスの中にはＷｉＦｉが完備していて、その中で仕事ができるだけでなく、朝食まで無料でふるまわれる。そして、夕刻になると仕事を終えたテッキーたちはまた、このバスでサンフランシスコ市内に戻る。

このようなテッキーたちがサンフランシスコ市内に居住するようになってから、家賃が上昇し、現在のアパート（日本の１ＬＤＫ）の平均的な家賃は二十五万円を超えると言われている。市の住宅部局で話を聞いたが、これだけの家賃を支払うためには、年収千二百万円程度が必要だという。

サンフランシスコ市には、もともとレントコントロール（家賃統制）の制度があり、市は必死で家賃の高騰を防ごうとしているが、不動産業界は強気の姿勢を崩していない。市は、アフォーダブルハウジング（低家賃住宅）をＮＰＯなどの力を借りて建設しているが、中産階層が入居できる住宅はまだ不十分である。

経済的繁栄の陰に住宅問題はあるが、日本の大都市もいずれこのような課題を抱えることになるのではないかと感じた。

中日新聞静岡版　二〇一五年一〇月二五日

熊本地震から1カ月

熊本で起こった地震から一カ月が経過した。震度7の地震が二度（四月十四日夜、十六日未明）にわたり、熊本市周辺地域を襲った。「前震」と「本震」が両方とも震度7というのは、観測史上初めてのことだ。十四日に発生した地震と同程度の地震がまた起こるとは、誰もが予想しなかったことだろう。そのため、「本震」によって被害を受けた人々も多かった。その後も、余震は続き、今月十五日の段階で震度1以上の地震は千四百四十回を超えている。余震がいまだ続いていることで、被災者は今も不安な毎日を過ごしていることだろう。

今回の地震は、活断層地震で震源地が内陸部であったことから津波被害はなかったが、住宅が大きな被害を受け、その数は熊本県内で八万棟を超えているようだ。

「本震」発生後、避難者数は十八万三千人を超え、その数は県の想定（「最大十五万六千人」）を大幅に上回った。そのため、プライバシー確保の点から、避難所ではなく自家用車での車中泊を選ぶ住民が多かった。車中泊はエコノミークラス症候群を発症する危険性があり注意が必要だ。現在でも避難者は一万人を超えている。まずは、住宅の確保が最優先課題である。

日本では、五年前の東日本大震災をはじめ、大地震発生のたびに、さまざまな教訓を積み重ね、地域の防災対策に生かしてきた。しかし、今回の地震では、これまで経験したことのない事態も発生している。

今後、私たちはこれまでの教訓のどこが生かされ、どこがうまくいかなかったのかを検証していくことが大切である。今回も明らかになったが、行政ができることには限界がある。住民の「共助」の力が十分に発揮できるような体制をどのように築くことができるのか、再度検討する必要がある。日本には多くの活断層があることから、今回のような地震が日本のどこでも起こる可能性があることを肝に銘じておきたい。

中日新聞静岡版　二〇一六年五月二二日

近未来社会に向けての実験場

今年の夏もサンフランシスコ湾岸地域を訪れた。この地域では、交通輸送に関わるさまざまな変革の取り組みが行われているが、その中で二つの事例を紹介したい。

一つ目は、自動車の自動走行の取り組みである。今回、サンフランシスコやサンノゼに滞在したが、ちょうど、グーグルの本社があるマウンテンビューを通り掛かった時に、奇妙な車が走行しているのに出合った。それが、現在グーグルが開発を進めている自動運転車であった。うわさには聞いていたが、初めて一般道での自動走行実験を見たので興味をそそられた。しばらく実験車の動きを見ていたが、意外とスムーズに走行していた。あと数年もすれば、自動運転をする自動車が実際に道路を走行する日が来ることだろう。

二つ目は、スマートフォンのアプリを使って自動車を利用するシステム、ウーバーである。ウーバーは、普通の人が自分の車を使ってタクシー事業を営む取り組みだ。日本では白タク行為となるが、サンフランシスコ市内では、ウーバーを使って自動車に乗り込む利用者を何度か目撃した。ウーバーは二〇〇九年に設立されたベンチャー企業が生み出したシステムである。タクシーよりも便利かつ低料金で利用できることを売りにして、利用者の拡大を図っている。

これら二つの取り組みは、交通輸送面での新たな革新の動きだと言える。シリコンバレーを中心とした地域では、ＩＴを軸にして、「社会をより便利で豊かにするための取り組み」がさまざまな領域で行われている。まさに、従来の技術にソフトウェアが結びついた時に、どのようなことが起こるのか、その実験場だと言えよう。

私にとっては、今回も短い滞在ではあったが、シリコンバレーには、現状に飽き足らず、常に革新を生み出すマインドを持った人々を引きつける磁力があると感じた。それが、シリコンバレーの大きな魅力かもしれない。

中日新聞静岡版　二〇一六年九月一一日

静岡空港を使う

今月は静岡空港を利用して出張する機会が三度あった。一回目は福岡へ、二度目は沖縄へ、そして三度目は台湾・台北であった。

静岡—福岡間は一日四便の往復があり、とても便利だ。特に、朝一番の便に乗ると九時過ぎに福岡へ到着する。そして、仕事を終えて最終便に乗れば、夜九時過ぎに静岡空港へ戻ることもできる。その意味では、静岡と福岡は日帰り出張も可能になったと言える。私も九州への出張には飛行機を使うことが増えている。

今のところ、静岡空港からは就航先が少ないのが残念だが、空港までは自家用車で行くことができ、無料で駐車できるのはありがたい。

私も静岡空港を利用する時には、無料駐車場を利用する。それは、飛行機を降りてから、すぐ職場へ駆けつけることができ、仕事をすることもできるからだ。

しかし、問題は、航空会社の就航路線の搭乗率が採算ベースに乗らなければならないということである。私は、自分の仕事の効率を上げるため、目的地に早くついて仕事を片付けたいという思いで、飛行機を利用する。多分、仕事で利用する人の多くはそうではないかと思う。

今月台湾・台北へ行った時には、行きは静岡空港から、帰りは羽田空港であった。というのも、静岡―台北便は週四日しか運航していないからだ。今回は、帰国日が静岡に運航していない日に当たり、仕方なく羽田になった。今後利用者が増え、毎日運航することになることを期待したい。

静岡空港は、開港してから間もなく八年になる。静岡県民には、移動手段として飛行機を利用するという選択肢が加わり、それが日常のことになってきたように感じる。

静岡空港の今後は、われわれ県民に委ねられているともいえる。県民の財産として、この空港をどう活用できるのか、皆で考えてみることが必要ではないだろうか。

中日新聞静岡版　二〇一七年三月二六日

「サードセクター」成熟が重要

私がＮＰＯ（Ｎｏｎｐｒｏｆｉｔ　Ｏｒｇａｎｉｚａｔｉｏｎ、非営利組織）に関心をもち、自身の研究の一つと位置付けてから20年以上になる。

私は当初、戦後の米国の都市政治や都市行政を研究していたが、文献調査の中でＮｏｎｐｒｏｆｉｔという言葉を見かけていた。その当時はあまり意識していたわけではなかったが、市民活動を展開していた人々が１９９４年、名古屋でＮＰＯに関する研究会を始め、聞き覚えのある言葉に誘われて参加するようになった。それが、私自身のＮＰＯ研究の発端だ。

その後、95年の阪神・淡路大震災を経て、日本で社会的に有益な活動をしている市民活動団体に法人格を付与する制度への関心が高まり、超党派の国会議員連盟が誕生した。そして98年3月に「特定非営利活動促進法」（通称ＮＰＯ法）が成立し、同年12月に施行された。

この法律の施行で、静岡県内でも翌99年4月に5団体が「特定非営利活動法人」（ＮＰＯ法人）として県から認証を受け、活動を開始した。しかし、当時のＮＰＯ法人制度は、法人格を付与するだけで、米国のＮＰＯのように税制優遇を認められてはいなかった。そのため、活動資金の獲得にかなり苦労した。そこで、認証を受けた法人の中で公益性の高い活動を展開している団体に、税制優遇資格を付与する「認定特定非営利活動法人」（認定ＮＰＯ法人）制度が２００１年に導入された。

導入当初は、基準のハードルが高かったこともあり、認定をうける法人は増えなかったが、その後の改正を経て認定ＮＰＯ法人の数は増えつつある。県内のＮＰＯ法人は今年３月末現在で１２６６。ＮＰＯ法が規定する20の活動分野のうち、保健・医療・福祉、社会教育、まちづくり、子どもの健全育成などに関わる法人が多い。

今、地域社会には様々な課題が山積しており、行政の力だけで解決することは困難だ。私は、このような課題解決への果敢な取り組みに共感を覚え、現在、二つの認定ＮＰＯ法人に関わっている。一つは、県内ＮＰＯ法人の第１号である「活《い》き生きネットワーク」であり、高齢者、障害者、乳幼児などを支援する活動をしている。もう一つは「フードバンクふじのくに」である。

最近は、ＮＰＯ法人などを、国や地方公共団体が経営する公企業や私企業とは違う「サードセクター」の一員として位置付けるようになった。私は、このサードセクターの成熟こそが、今後の静岡の社会課題の解決に重要なことだと考えている。

朝日新聞静岡版　二〇一七年八月三日

コストコ体験

今月一日、会員制大型スーパー「コストコ」が浜松市にオープンした。全国で二十六店舗目、静岡県内では初めての店舗ということもあり、出店の計画が公表されてから県民の話題となっていた。商圏も静岡県内だけではなく、愛知県西部地区をカバーし、約二十万人の会員を見込んでいるようだ。

私がコストコを知ったのは、十七年前のこと。アメリカで在外研究をしていた時だ。友人に誘われ初めてコストコへ行って買い物をした。大きな倉庫の中に、たくさんの種類の食品や衣料品、さらには電化製品や玩具類などが売られていて、あまりの規模の大きさに驚いたものだ。まさに倉庫型のデパートという印象であった。そのコストコが静岡県内に店を開いたということで、懐かしさも手伝って、早速会員になった。

そして、平日の夕方であったが、妻を伴い静岡から車でコストコへ行った。東名高速を使い約一時間で到着。東名浜松インターを降りてからは十分ほどであった。静岡市内からの買い物客にも比較的便利だと感じた。

妻は、あらかじめコストコマニアのつづったブログを読み、購入予定品のリストを作って買い物をした。コストコには多くのファンがいて、ブログなどを通じてコストコ利用の裏技を披露してくれて

ないと、市の経済に悪影響が及ぶことになる。そのため今から官民を挙げて持続可能な経済・社会環境を築いていくことが必要だとされている。ホームレス対策も「公正な社会」を築くという点から必要とされる取り組みのようだ。

さらにポートランド市から学ぶべき点は、まちの将来について、市民の声を様々な経路を介してくみ上げ、それをもとに方向性を決めている点である。この点は、今後の日本の地方自治体の参考になるはずだ。

朝日新聞静岡版　二〇一七年九月二八日

厳冬のシカゴ

昨年暮れに五日間ほど米イリノイ州シカゴを訪れた。シカゴは今回で三回目だが、冬は初めて。滞在中、シカゴの気温は連日零下一〇度を下回り、「とにかく寒い」の一言に尽きた。

今回の訪問の目的は、シカゴ市内にあるフードバンク、それも生活困窮者支援の最前線で食料を提供しているパントリーを視察することであった。

シカゴはとても寒かったが、ダウンタウンの街路の片隅で、道行く人々に声を掛けるホームレスが目に付いた。多分、夜はどこかで寒さをしのぎ、昼になると人出の多いところにやって来るのであろう。シカゴ市民に、貧しい人々の存在をアピールしようと、メインストリートの街路灯には何区画にもわたり、「飢えから希望へ」と書かれた垂れ幕が掲げられていた。これは、市内にあるフードバンクの一つ、「グレーターシカゴ・フードデポジトリー」が行うキャンペーンの一環であった。

私は滞在中、シカゴ郊外レイクビュー地区にある「レイクビューパントリー」を訪問した。このパントリーは、一九七〇年から活動を開始し、もう四七年の歴史を持つ。年間七千人以上の人々が利用しているが、その半数は年収が日本円で百三十万円以下。利用者の人種構成は黒人四割、白人三割、その他三割である。パントリーの運営には、専任スタッフのほか、たくさんのボランティアが関わる。そして、食料は市内の大手スーパーや規模の大きなフードバンク、そして自ら実施するフードドライブによって調達され、運営資金の多くは寄付によって賄われている。

最近は、食料の提供だけでなく、生活困窮者の自立に向けてのカウンセリングなど、ソーシャルサービスも手掛けるようになった。

シカゴ市内にはこのようなパントリーが大小三百カ所ほど存在しているという。日本にもいつしかこのような仕組みができることを願いたい。

中日新聞静岡版　二〇一八年二月一一日

男女共同参画とまちづくり

三週間ほど前、島根県江津市からの依頼を受け、講演会の講師とその後に行われたパネルディスカッションのコーディネーターを務めた。内容は、男女が共につくるまちづくりについてであった。

島根県西部の石見地方に位置する江津市は人口二万四千人余りのまちだ。かつては、石州瓦の産地として名をはせたが、阪神淡路大震災以降、瓦の生産量が減ってしまった。しかし、近年はバイオ発電所が建設され、樹脂加工メーカーなどが進出しているという。また、江津市は東京からの移動時間距離が一番遠いまちとして高校の地理の教科書でも取り上げられた。私は静岡から新幹線で岡山へ。そこで伯備線に乗り換え七時間ほどで到着。確かに遠かった。

ところで、島根県では、男女共同参画が人権教育の一環として取り組まれている。江津市も同様で、人権啓発センターが担当している。江津市は、二〇〇一年に男女共同参画推進条例を制定したが、島根県内では二番目に早い取り組みであった。以来、毎年男女共同参画に関する講演会を開催し、啓発に努めている。今回は、私がその講師を務めた。

講演会当日は百人近い市民が聴講してくれた。女性ばかりでなく男性の参加も多く、子育て世代の市民も子供を連れての参加だった。

私は、解決が求められる地域課題に、男女が共に取り組む環境をどのようにつくれば良いのか、簡単ではないが地道に取り組む必要があることを話した。また、パネルディスカッションでは、市民が四人（女性三人、男性一人）登壇して、男女共同参画とまちづくりについて話し合った。パネリストからは、子育てと仕事が両立できる環境を整備するために具体的な提案がなされ、とても実りある討論の場となった。

市では、今後も男女が共につくる江津市をめざして取り組みを進めて行くという。今後の進展が楽しみだ。

中日新聞静岡版　二〇一八年三月一一日

ＮＰＯ法20年　活動への理解広がる

3月19日に、特定非営利活動促進法（通称ＮＰＯ法）が成立から20周年を迎えた。ＮＰＯに関わる者として感慨深いものがある。

私がＮＰＯに関心を持ったのは、１９９４年ごろ。当時私が住んでいた名古屋では、市民活動団体を社会的に認知する包括的な法制度を構築することをめざし、市民活動家を中心に研究会が開催されていた。私も「非営利組織研究会」という聞き慣れない言葉に興味を覚え、研究会に通った。そして先進地の米国サンフランシスコを訪れ、ＮＰＯの活動を視察し、その組織運営について学んだ。

日本での大きな転換点は、95年の阪神・淡路大震災だった。救援・復興活動における市民活動団体の活躍をきっかけに、ＮＰＯ法制定に向けての機運が一気に高まった。そして98年3月19日、議員立法によってＮＰＯ法が成立した。

施行は同年12月1日からだったが、当時、日本では「非営利組織」に関する理解が十分でなく、「ＮＰＯ＝ボランティア組織」と受け止められることが多かった。そのため、ＮＰＯ法人の収益活動に対しては、地域の人々の理解が得られなかったこともあったと思う。

ＮＰＯ法人は、事業体でもある。つまり、自ら調達した資金を使ってミッション（社会的使命）を実現する。したがってＮＰＯには収益活動が認められるのであるが、それを構成員に分配するのではなく、更なるミッション実現のために用いることが求められる。「非営利」とはそのような意味なのである。

この20年間に。日本社会におけるＮＰＯへの理解もだいぶ進んだと思う。今や法人数は日本全体で5万を超えた。県内には１２８７のＮＰＯ法人が存在する（今年1月末現在）。

ＮＰＯは地域の課題に向き合い、それを解決するために重要な役割を担っている。そして、効果的に課題を解決するため、行政や企業と連携＝協働することが重視されるようになった。だが、ＮＰＯの活動はそれだけにとどまらない。現在、活動の原資は会費、助成金、寄付、行政の事業委託金など様々だが、持続可能で安定的な活動を展開していくためには、どうしてもヒト、カネ、モノといった資源の調達が必要になる。
私は、今後もＮＰＯに対する地域社会の理解や支援は大切であると思う。一方でＮＰＯ側も積極的な情報公開など、努力すべきことが多々あるように感じている。

朝日新聞静岡版　二〇一八年四月五日

県内の「まちづくり」学び会う場を

これまで、地域課題の解決は、行政が中心に担ってきたのが日本の姿だった。ところが、地域を取り巻く課題の大きさや多様性、さらには複雑さの増大により、行政だけでは対応できない状況が生まれている。そこで、近年注目されているのが、地域の人々や市民団体、そして地域で事業を営む企業などが行政と連携して課題解決を行うという取り組みである。

総務省では、このような取り組みを「地域運営組織」と呼んでいて、全国には４千以上の団体が存在している。総務省の報告書では、このような組織を「地域の暮らしを守るため、地域で暮らす人々が中心となって形成され、地域内の様々な関係主体が参加する協議組織が定めた地域経営の指針に基づき、地域課題の解決に向けた取組みを持続的に実践する組織」としている。県内でも、このような組織を制度化した市がいくつかあり、「まちづくり協議会」や「地域づくり協議会」と呼ばれている。

私自身は、掛川市、富士市、袋井市での「まちづくり協議会」の立ち上げにかかわった。先日、その一つ、掛川市の「協働によるまちづくり中央集会」に招かれ、「地区まちづくり協議会」の活動発表を受けて、講評する機会をいただいた。

掛川市では、２０１５年４月施行の「協働によるまちづくり推進条例」に基づき、16年に市内31地区で「まちづくり協議会」が設立された。各地区のまちづくり協議会では、「地区まちづくり計画」を策定し、市からの交付金をもとに計画実現に向けて活動を展開している。

今回の中央集会では、２事例が報告された。一つは「南郷地区女性自主防災会」の事例。そしてもう一つは「東山口地区健康福祉部一期会」の取り組みで、福祉バス運行の紹介であった。両事例とも女性がプレゼンターになり、地区の重要な課題である「防災対策」や「交通弱者対策」にどのように取り組んでいるのか、大変分かりやすい発表を行った。

市内では、他の地区でも同様に様々な課題解決の取り組みが行われており、それらの活動の発表会が年に一度開催されている。各地区での活動を相互に学びあう機会はとても貴重だと思う。

県内における、「まちづくり協議会」は、掛川市だけでなく、富士市や袋井市、さらには伊豆市（ここでは、地域づくり協議会）などの活動がある。このようなまちづくり・地域づくりの事例を皆で持ち寄り、相互に学び合う「見本市＝メッセ」のような取り組みができたら良いと思う。そうすることにより、課題解決のためのメニューを充実させることができるはずだ。

朝日新聞静岡版　二〇一八年五月二四日

行政、ボランティア…みな復興の力

今月6日から8日にかけて西日本の広い地域を襲った豪雨。広島、岡山、愛媛の各県を中心に土砂崩れ、河川堤防の決壊などが発生し、甚大な被害が生じた。

私は、7、8日と福山市立大学（広島県）で開催されるコミュニティ政策学会に参加するため、6日から現地に行く予定にしていた。夕方の新幹線ひかりに乗るため、静岡駅へ行き、初めて大雨による交通機関の混乱を知った。その後も雨が激しくなることが予想されていたため、一度自宅へ引き返し、様子をみてから行くかどうか判断することにした。そして、翌朝。静岡市内でも雨は降り止む気配がなく、西日本における交通機関の運転見合わせが続いていたことから、今回の出張は中止することにした。

その後も、「大雨特別警報」が各地で発表され、時間の経過とともに被害が拡大していった。状況はテレビなどを通じて時々刻々と報道されたが、私はあまりの被害の大きさに圧倒されてしまった。

豪雨から10日以上が過ぎた。被災地では、救援活動から復旧活動に重心が移っている。復旧の段階において、地元自治体を中心とした行政機関は、住民の生命・身体・財産を守るため、更なる災害の発生を未然に防ぐことに万全を期している。そして、国や他の自治体との連携・協力により、生活インフラの復旧や住民の生活再建に力を尽くしているはずだ。

一方、被災した住宅の後片付けなどに大きな力を発揮しているのが、地元をはじめ全国から集まるボランティアである。被災した我が家を目の前にして、茫然《ぼうぜん》自失の住民も多いことだろう。そのような状況の中で、後片付けを手伝うボランティアの働きは、被災者に大きな慰めと励ましをもたらすことになる。市民が直面している困難を市民の力によって解決していくという、まさに市民社会の力が被災地に結集していると感じる。被災者に寄り添って、様々な支援の手を差し伸べるということは、行政にはなかなか力の及ばない領域であろう。

ＮＰＯなど市民活動団体も被災地に入り、様々な支援活動を行っている。私が関わっている「フードバンクふじのくに」も、被災地支援の一環としてストックしてあった水２５０キロを、広島県呉市に赴く静岡県ボランティア協会に託した。災害関連のＮＰＯも多数あることから、今後、被災地には場面に応じて支援の手が差し伸べられていくものと思う。

被災地の復旧・復興には、行政、市民ボランティア、ＮＰＯ、さらには企業も交えた連携・協力の仕組みが欠かせない。それをどのように構築していくのか、しばし注目してみたい。

朝日新聞静岡版　二〇一八年七月一九日

過去と現代が凝縮　魅せる「まち」

静岡大学では、8月3日に前期の期末試験が終わり、学生たちは夏休みに入った。

私は、地域創造学環の3年生5人と恒例のゼミ合宿を行った。私のゼミでは、「まちづくり」を中心的なテーマに、日本各地の取り組みを学んでいる。毎週行われるゼミでは、基本的な文献を皆で学び、それをもとに議論する。夏の合宿でその地を訪れ、ゼミで学んだことを実際に自分たちの目で確認してみる。私は文献の学びだけでなく、実際に現地を訪れることが大切だと考えており、このような学びの形を毎年行っている。

今年は福岡市と金沢市を取り上げた。福岡市は、日本というより東アジアの拠点都市をめざし、独自の成長戦略を描いてまちづくりを進めている。金沢市は、ゼミ合宿で学生たちが行きたい「まち」として選んだこともあり、取り上げた。

今回、金沢市を訪問するにあたり、ゼミで山出保さんの著書「金沢を歩く」（岩波新書）を学んだ。

山出さんは、金沢大学を卒業後、金沢市職員になった。その後、助役に就任し、1990年に市長に当選後、5期20年にわたって務めた。まさに金沢市を知り尽くした方だ。

金沢市の人口は約46万人。合併前の旧静岡市が約47万人でほぼ同じ。双方とも城下町で「まち」の成り立ちも似ている。その意味では、静岡市と金沢市は比較しやすいと言える。

山出さんの著書では、金沢市の魅力が存分に語られている。金沢のことをほとんど知らない学生たちが、すべてをうのみにしてしまうことを懸念し、なるべく批判的に読み進めることを心掛けた。そして、それらの学びをもとに実際に現地に赴き、金沢市内を周遊した。

学生たちは皆、歴史と文化に彩られた「まち」であるにもかかわらず、現代社会の中にあって頑固に自らが培った歴史・文化遺産と向き合い、それを現代につなげる努力を続けているという点に興味を持ったようだ。そして、伝統文化や伝統産業の伝承だけでなく、「金沢21世紀美術館」や「オーケストラ・アンサンブル金沢」の設立など、新たな文化の創造・発信にも熱心に取り組んでいる点を評価していた。

私自身、学生たちの率直な感想から触発されたことも多かった。私も、金沢市のこれまでのまちづくりが、コンパクトな中にも過去と現代が凝縮され、それが「魅《み》せるまちづくり」につながっていると感じた。静岡市にも、金沢市に引けを取らない素材がたくさんある。それらを生かしたまちづくりに挑戦することを期待したい。

朝日新聞静岡版　二〇一八年八月九日

災害とボランティア

今回西日本を襲った豪雨は、各地で土砂崩れ、河川の氾濫など甚大な被害をもたらした。四年前の広島市での豪雨災害後、毎年のように豪雨や地震災害に見舞われる日本列島。被災地での救援活動の後には、復旧活動が待っている。この復旧活動に大きな力を発揮するのが地元をはじめ、全国から駆け付けるボランティアである。

今回の豪雨災害でも、十四日から十六日までの三連休で三万人以上のボランティアが被災地の支援に入った。ボランティアの仕事は、被災した家屋の清掃や片付け、避難所での支援が中心だったが、懸命に作業を続けるボランティアの姿に感動を覚える。

困った境遇にある人々を放っておけない、あるいは、自らもボランティアに助けられた経験を持つ人々が今度はそのお返しにと、それぞれ動機はさまざまであろう。このような自発的な動機に促されて被災地に集結するボランティアがいるからこそ、復旧活動もはかどるし、何よりも被災した人々に慰めと励ましを与えることができる。その意味でも、ボランティア活動はとても大切だ。

現在、被災地における災害ボランティアセンター等の最新情報は、全国社会福祉協議会（全社協）ウエブサイトで閲覧することができる。もし、自らがボランティア活動を希望するとしたら、まずはこのサイトで現地の状況を確認してから行くことを勧めたい。そして、このサイトには、ボランティアの心得も掲載されているので役立つ。

ボランティア活動に赴く際、大切なことは、自己完結型のボランティア活動を心掛けることである。つまり、ボランティア活動に必要な物品や服装等は自前で用意すること。さらに、不測の事態を想定してボランティア保険に加入することや熱中症対策も必要だ。そして、復旧のめどが立つまで、ボランティアの支援が不可欠だということも覚えておきたい。

中日新聞静岡版　二〇一八年七月二二日

老舗百貨店の閉店に思う

名古屋で十四年間暮らした私にとって、栄の老舗百貨店「丸栄」の閉店はとても寂しい思いがした。名古屋には４Ｍ（松坂屋、名鉄百貨店、名古屋三越、そして丸栄）と呼ばれる百貨店があり、互いにしのぎを削ってきたが、やはり時代の流れには逆らえなかったようで、ついにその一角が崩れてしまった。

六月三十日で、会社設立後七十五年の歴史に幕が下ろされた。名古屋に住んでいた頃、よく繁華街の栄へ行ったが、丸栄にも立ち寄ることが多かった。

先日、営業を終えた建物をぜひ見てみたいと思い、久しぶりに栄に足を運んでみた。丸栄はシャッターが閉じられ、往時のにぎわいに触れることはできなかったが、栄の一角に悠然と立つたたずまいはやはり風格があった。この建物も老朽化のため、今年秋ごろから取り壊されるという。郷愁の思いで辺りを一回りしてから帰った。

ところで、私が静岡へ引っ越して来てからも、浜松の松菱百貨店や西武百貨店（静岡店、沼津店）が閉店した。かつては、各地における中心市街地の象徴的存在だった百貨店も、特にバブル崩壊以後、社会や人々の消費行動の変化に十分対応できず、苦戦を強いられているようだ。

私もそうだが、多くの人々にとって、百貨店にはさまざまな思い出があると思う。それにもかかわらず、私たちは、「閉店」という言葉を聞くまで、無頓着で居続けている。しかし、現実は厳しく、百貨店は採算が取れなくなれば当然撤退せざるを得ない。

ネットで簡単にほしい物を買える現代社会。確かに便利にはなったが、街中の百貨店や個店での買い物でなければ味わえない醍醐味《だいごみ》もたくさんあるはずだ。私たちはもう一度街中へ出かけ、売り手と会話をしながら、その思いを感じて買い物をする楽しさを思い出したらどうだろうか。そうすることにより、百貨店や個店の魅力を再発見することにつながると思う。

中日新聞静岡版　二〇一八年八月一九日

ポートランドから学ぶこと

今、日本のまちづくり関係者の間で、米国オレゴン州ポートランドがちょっとしたブームになっているようだ。

実は、私自身これまで二度ほどポートランドを訪れたことがある。一度目は、一九九八年。「環境先進都市」として有名であったまちをぜひ自分の目で見てみたいと思い訪問した。

まちの中心と郊外を結ぶＭＡＸ（マックス）というライトレールトランジット（軽量軌道交通）に乗り、その利便性を確かめた。郊外から市の中心部への通勤者は、最寄り駅の駐車場に車を置き、ＭＡＸに乗り換えるようになっていて、大気汚染から中心市街地を守るという姿勢が見受けられた。当時からポートランドは自転車にも優しいまちとして知られていた。明らかに「人間」と「環境」を重視したまちづくりが進められていたのである。

私はその後、在外研究のためニューヨークで一年半滞在したこともあって、ポートランドは意識から遠ざかってしまった。

しかし、ここ数年ポートランドに関する書籍が相次いで出版されていることに気づき、私自身の中にポートランドへの関心が再燃した。今のポートランドの姿をみてみたいということで、昨年夏再訪したのであった。

最近私が購入したポートランド関係の書籍は、七冊ほどになる。最新刊は「〈暮らしやすさ〉の都市戦略―ポートランドと世田谷をつなぐ」（岩波書店）である。著者は、東京都世田谷区長・保坂展人さん。知人のすすめもあって二〇一五年以降、毎年ポートランドを訪れ、そのまちづくりの戦略を学ぶ中で、今後の世田谷のモデルを見いだしたようである。

私もポートランドから学ぶことは多いと思っている。しかし、重要なことは、単にポートランドの取り組みを模倣するのではなく、まちづくりの理念やプロセスを学ぶことではないだろうか。

中日新聞静岡版　二〇一八年九月一六日

台風と停電

九月三十日夜から十月一日にかけて静岡県内を襲った台風24号。強い風の影響で、県内各地は大規模な停電に見舞われた。

静岡市でも私が住む地域では、三十日夜から翌一日午後二時すぎまで十四時間以上停電をした。静岡へ引っ越してから二十年以上になるが、今回のように長時間にわたる停電は初めての経験だ。

わが家では、十数年前にオール電化にしたので、停電になると調理器具、照明器具、トイレ、そして固定電話まですべて使えなくなる。幸いなことに断水は免れたので、水道栓を開くと水が出た。もちろん停電中なので、調理器具は使えない。そこでカセットコンロを取り出し、調理をして朝食を取ることができた。わが家では、食料の備蓄（米、水、缶詰、レトルトパック等）を行い、カセットコンロも備えてあったので助かった。やはり非常時の備えは大切であることが身に染みた。

一日は後期の授業の開始日だったが、午前中の授業は前日のうちに、台風の影響を予想して休講となっていた。しかし、私は通常通り車で出勤した。大学付近の道路は停電のため、信号機が消灯したままであった。信号機が使えない交差点の走行は怖かったが、ドライバー同士譲り合って走行したので、事故を防ぐことができた。

静岡大における停電の復旧は午前十時を過ぎた頃であった。しかし、交通機関の混乱を配慮して、午後の講義も休講となった。

今回の停電は、予想以上に大規模で、県内の停電が全面的に復旧したのは十月六日のことであった。復旧に時間がかかったことにより、市民生活にも大きな影響が及んだ。しかし、静岡県内では大規模地震の発生が想定されていることもあり、各家庭での災害時の備えはある程度できていたのではないかと思われる。実際に自らの備えが災害発生時に機能するのか、再確認が必要だが、今回はその良い機会になったはずだ。

中日新聞静岡版　二〇一八年一〇月一四日

ＳＤＧｓの取り組み

地方自治体が将来ビジョンを明らかにし、それをもとにまちづくりを進めていくことはとても大切なことである。このような将来ビジョンは短期間で実現するものではないので、何十年もかけて取り組むことが不可欠だ。そのため、多くの地方自治体では、そのようなビジョンを最上位計画である総合計画の中で明確にすることが一般的である。

まちづくりの将来ビジョンを広く市民の声を聴いて策定する場合もあれば、行政が主導して策定する場合もある。私自身は、可能なかぎり市民参加を通じて、将来のまちづくりのあり方を決めていくことが良いと考えている。

ところで、将来ビジョンの策定に関し、新たな動きが生じつつある。国連が提唱するＳＤＧｓ（Ｓｕｓｔａｉｎａｂｌｅ　Ｄｅｖｅｌｏｐｍｅｎｔ　Ｇｏａｌｓ、持続可能な開発目標）を採り入れる自治体が増えているということだ。ＳＤＧｓは、二〇一五年九月に開催された国連サミットで採択され、日本もその取り組みの後押しを始めた。この目標の中では、一六年から三〇年まで「貧困をなくそう」、「つくる責任、つかう責任」、「気候変動に具体的な対策を」など「経済」、「社会」、「環境」に関わる十七のゴールと百六十九のターゲットが具体化されている。そして、このような目標に国連加盟の各国が取り組むことを推奨している。

国は、このような取り組みを積極的に進める自治体を「SDGs未来都市」として、全国で二十九都市を選んだ。静岡県内では、静岡市と浜松市の両政令市が選定されている。

SDGsは、今後十五年間の開発目標を定めたものであり、日本の各自治体がこの目標に沿って、地域ごとに独自の取り組みを展開していくことになるだろう。自治体だけが旗振り役になるのではなく、私たち一人一人もこの目標の理念を理解し、それを日常生活の中で実践することが大切だ。

中日新聞静岡版　二〇一八年一一月一一日

「住民協議会」　市民に不可欠な場

最近、無作為抽出を活用して参加者を募り、地域が抱える課題の解決策などを話し合う場が各地で設けられるようになった。1月8日付朝日新聞朝刊はそのような取り組みを「住民協議会」として紹介している。すでに12都道県の14市町村で開催されたという。

この取り組みの特徴は、選挙人名簿などから無作為で委員候補を選ぶところにある。従来、行政機関が設置する審議会や懇話会などは、行政が指定した人や公募で自ら手を挙げた人が委員に就任することが多く、広く市民に開かれた場とはなっていなかった。つまり普通の市民はこのような場に招かれることがほとんどなかったのである。

住民協議会はこのような状況を改善するため、無作為抽出を活用してできる限り多くの市民に、公的な事柄について自らの意見を言える機会を設けようとする試みといえる。

住民協議会ばかりでない。２００５年に東京ＪＣ（青年会議所）が初めて実施した「市民討議会」はまさに、無作為抽出を活用して参加者を募った最初の取り組みだ。ドイツで開発された市民参加の手法を日本流にアレンジしたもので、07年には静岡ＪＣもこの手法に基づく市民討議会を開催した。その時のテーマは「ゴミの減量化」。参加者はどうすればゴミの排出量を減らすことができるのか、自らの問題として受け止め、真剣に議論していたことを思い出す。

静岡ＪＣの市民討議会はその後、ＪＣの手から離れ、現在は当初の実行委員会メンバーと静岡市が連携してほぼ毎年実施している。私は当初アドバイザーとして関わっていたが、市民討議会への参加者の満足度が極めて高いことに驚いた。このような機会でなければ、地域社会を取り巻く様々な課題に対して他の人々と意見交換をすることがなく、そのような機会が結構楽しかったのだと思った。

日本の市民討議会の特徴は、①無作為抽出による参加者の決定②少人数（５人程度）のグループを作り、討議を行う③グループ内での討議が円滑に進むように進行役を置く④設定された小テーマごとにグループのメンバーの入れ替えを行う（意見の偏りを避けるため）⑤参加者は主催者が設定した時間（半日から2日程度）テーマに基づいて討議を行う⑥最後は全体で意見集約を行い、主催者に提出する―というものである。

市民討議会には行政も関わるが、中心となるのは普通の市民から構成される実行委員会だ。今後は、市民討議会に参加した人々が、自ら主体的に地域課題の解決に乗り出す仕組みを構築することも必要になるだろう。私は、住民の主体性を醸成するためにはこのような地道な活動が不可欠であると考えている。

朝日新聞静岡版　二〇一九年一月三一日

新時代の「男女共同参画」

五月一日、新天皇の即位と共に、時代は「平成」から「令和」へと移り変わった。「平成」の時代、日本は戦争の惨禍に見舞われることがなく、大きな災害を多数経験したとはいえ、国の平和が脅かされることのない時代であった。「令和」も平和が続く時代となることを心より願いたい。

ところで、新たに迎えた「令和」はどのような時代になるのだろうか。この新しい時代の今後を見通すことなど不可能に近い。しかし、今の時点で、「令和」がこのような時代になるのではないかということを語ることは許されるだろう。

私は、「令和」の時代には「多様性」が強調され、まさに多様な価値観が社会に根付くことになるのではないかと思っている。つまり、従来社会的に主流と考えられてきた価値観が大きく変容し、新たな価値観のもとで、新しい時代が築かれていくということだ。

私は、その先駆けをなすのは、女性だと思っている。「令和」は女性が躍進する時代になるはずだ。「男女共同参画社会基本法」が制定されてから、今年でちょうど二十年を迎える。まだ十分だとは言えないが、この二十年で女性が活躍する場が確実に増えた。日本は今、解決が困難な多くの社会課題を抱えているが、それらの解決に向けて女性の果たす役割は大きい。女性の能力が生かされる時代、それが「令和」ではないだろうか。

「令和」は「ビューティフルハーモニー」と英訳されるという。とても美しい響きがある。まさに「男女」が共同し、相互に協調し合いながら新しい時代を形作っていくこと、それが「令和」の時代なのだと感じる。

今後、日本は世界の国々と強調しながら、「力」ではなく、「対話」を通じて直面する課題解決の道を模索することが大切である。その際、「男女」が共同しながら、世界平和につながる「美しいハーモニー」を醸し出していくこと、それが「令和」の時代の希望だ。

中日新聞静岡版　二〇一九年五月一二日

台風と水害への備え

台風19号は、十月十二日夜七時ころ、大型で強い勢力を保ったまま、伊豆半島に上陸し、その後東日本の広範囲に影響を及ぼしながら、十三日には太平洋へ抜けて温帯低気圧となった。

今回の台風はその規模が大きく、また進路も一九五八年に伊豆半島を中心に甚大な被害をもたらした「狩野川台風」に似ているということで、気象庁も上陸する三日ほど前から「早め早めの行動で安全確保」をという呼び掛けを行っていた。

わが家でもその呼び掛けを受けて、台風が上陸する数日前より水や食料の確保、停電への備え、ラジオや懐中電灯なども点検して、台風の接近に備えた。

静岡市では、十二日朝から台風の影響と思われる強い雨が降り始め、午後からは風も吹き始めた。ピークは夕方から夜にかけてであったが、伊豆半島に上陸後は少しずつ風雨が弱まっていった。幸いなことに、私の家では台風の被害を受けることがなかった。

しかし、翌十三日のニュースで郷里の長野市を流れる千曲川で堤防が決壊し、濁流が住宅地に流れ込んでいることを知った。それだけではなく、今回の台風は東日本の各地に甚大な洪水被害を引き起こしていた。なんと三十七河川の五十二カ所（十六日現在＝五十二河川の七十三カ所）で堤防が決壊したという。まさに「水害台風」だった。

近年は、地球環境の変動により海面温度の上昇が起こり、巨大台風発生の可能性が高まっているという。今後も巨大台風に国土の備えが必要なようだ。

水害の発生を食い止めるためには、国や地方自治体の河川行政が極めて重要になってくる。財政の制約はあるが、堤防のかさ上げや遊水地などハード面の整備を効果的に行うことが大切だ。加えて、行政に期待されるのは復旧活動を円滑に推進するための体制整備や被災者の生活支援、さらには生活再建にも迅速に取り組むことではないだろうか。

中日新聞静岡版　二〇一九年一〇月二〇日

パンデミック

新型コロナウイルス感染拡大に歯止めがかからない。昨年暮れに中国・武漢で「原因不明のウイルス性肺炎」発生の報道。その後瞬く間に世界的に広がり、日本でも二月に入ってから感染が拡大した。そして、三月十一日に世界保健機関（ＷＨＯ）は、今回の新型コロナウイルスがパンデミック（世界的大流行）だと認定した。

安倍政権では、二月末に大規模な行事の自粛、全国の小中高校の休校措置などを要請した。現在は、日本全体が、コロナウイルス感染の拡大を封じ込めるために力を注いでいる状況である。

このような中、静岡大学でも卒業式や卒業祝賀会、さらには四月四日に予定されていた入学式も中止の決定がなされた。このように卒業式や入学式が中止となる事態は異例なことであり、静大七十年の歴史の中でも初めての出来事である。該当する学生たちもきっと残念に思っていることだろう。コロナウイルスの感染拡大が一日も早く終息することを願わずにはいられない。

ところで、多くのイベントが中止に追い込まれている中で、地域の社会・経済にもさまざまな影響が及び始めている。

特に経済的な影響を受けやすい世帯や個人への支援は、行政を中心として機動的に動くことができればよいのであるが、必要な手続きを経なければならないこともあり、簡単にはいきそうもない。そのような中で、生活に困窮する世帯・個人への支援を行うため、静岡県共同募金会が動き始めた。

赤い羽根「新型コロナウイルス感染拡大対策緊急応援事業」(新型コロナ対策フードバンク応援事業)がそれである。この事業では、生活困窮者への支援と学校給食等の休止によって生じる可能性がある食品ロスの削減も視野に入れ、そのような活動の中核を担うフードバンクを支援するというものだ。このような民間の迅速な動きが、困難な事態に直面している地域社会には大切なことだと思う。

中日新聞静岡版　二〇二〇年三月二二日

五、フードバンクの取り組み

フードバンクふじのくに

来年四月一日より「生活困窮者自立支援法」が施行される。この法律の対象となる「生活困窮者」とは、「生活保護に至る前の段階」に置かれている人々のことである。私たちは、「生活困窮者」というと「生活保護適用世帯」と結びつけてしまうが、両者は異なるのである。「生活保護適用世帯」には、状況に応じて生活保護費が支給されるが、「生活困窮者」には今のところ支援の手があまり及ばないのが現状である。次年度からは、この法律の施行により、「生活困窮者」に対する自立支援事業や住居確保給付金支給といった事業などが実施されることになるため、現在より状況は改善されるはずだ。

しかし、行政の支援には限界もあることから、静岡県内における「生活困窮者」を「食」の面から支援しようと、五月二十日より「フードバンクふじのくに」が活動を開始した。現在はNPO法人の申請中であるため、任意団体で活動しているが、私はこの組織の代表を務めることになった。

今日、日本においては、食料自給率がカロリーベースで40%を切っているにもかかわらず、印字ミスなど何らかの理由により市場に流通させることできず、廃棄されてしまう食品が年間約五百万～八百万トンに上ると言われている。この量は何と日本のコメの生産量に匹敵するというので驚く。私たちは、このような処分の対象となる食品や家庭などで余剰となった食料を寄贈していただき、それを

「生活困窮者」に提供するという取り組みを始めている。

活動を開始して二カ月になろうとしているが、最初の一カ月は食料が集まらず苦労した。今後、私たちにとって大切なことは、広く多くの人々の理解と協力を得ることであると考えている。「一人の善意が一人の人を救い支えることができる」ということを伝えていくことも私たちの使命だ。スタートして間もない組織であるが、皆様のご支援をお願いしたい。

中日新聞静岡版　二〇一四年七月一三日

フードバンクふじのくに　設立から1年

私が理事長を務める「フードバンクふじのくに」が一周年を迎えた。昨年五月二十日より活動を開始したが、その時は法人格のない任意団体であった。その後十月に静岡市よりＮＰＯ法人の認証を受けた。

この一年の間に、多くの県民、そして企業の皆様から多大な支援をいただいた。まずは、そのことに対し心よりお礼を申し上げたい。フードバンクの活動は、地域の人々の支援があって成り立っている。

昨年活動が始まったころは、フードバンクの認知度が低いこともあって、食糧を集めることに苦労した。しかし、新聞やテレビが私たちの活動を報道してくださったこともあり、次第に多くの人々に知られるようになった。

この一年間に寄贈を受けた食糧は二十四トンに達した。そして、生活困窮者へ支援させていただいた食糧も二十トンを超えている。主に、県内自治体の福祉関係部署や市町社会福祉協議会、さらには生活困窮者を支援しているＮＰＯなどを経由して、食糧を必要としている人々に届けられている。つまり、行政の仕組みではすぐ手の届かない人々への支援を行うというのが私たちの使命である。

特に、今年四月より「生活困窮者自立支援法」が施行され、それに伴って食糧支援の要請件数が増えた。四月からの二カ月間で百五十件を超える要請に対応している。そのため、倉庫内の食糧が減少しつつあり、皆様からのさらなる支援を期待したい。

この一年間の取り組みから、私たちの活動の課題も見えてきた。ＮＰＯであれば、どの組織も直面することであるが、ボランティアスタッフや活動費用の不足をどのようにするかということである。

今後、私たちは、フードバンクの社会的信用を高め、ヒト・モノ・カネといった資源をさらに集めることができる力の増大に取り組みたいと考えている。

中日新聞静岡版　二〇一五年六月一四日

フードバンクに地域社会の支援を

私が理事長として関わっている「フードバンクふじのくに」は、２０１４年5月20日から静岡県内で活動を開始し、今年で丸３年が経過した。当初は法人格のない任意団体としてスタートしたが、発足した年の10月にＮＰＯ法人格を取得し、さらに今年３月には寄付に対して優遇税制の働く認定ＮＰＯ法人になり、今日に至っている。

フードバンクは、個人や企業などから食料を寄贈していただき、それを生活困窮者に提供する活動である。国のデータによれば、日本の食品ロス（食べられるにもかかわらず捨てられる食品）は年間６２１万トンとされ、世界全体の食料援助量（約３２０万トン）を上回っている。日本社会において、このような食品ロスを削減することは極めて重要な課題であるが、この課題解決に挑んでいるのがフードバンクである。

フードバンクにとって重要なことは、生活困窮者の求めに応じられるだけの食料を備えることである。その点から、私たちは、企業や行政との関係構築に励み、また、個人の家庭にある食べる見込みのない食料を寄贈していただく活動(フードドライブ)を県内の市町や社会福祉協議会と連携して行っている。

活動を通じて、この３年間に寄贈を受けた食料は１０８トンに達した。寄贈を受けた食料のほとんどは市町の福祉関係課や社会福祉協議会、さらには県内の福祉関連組織などを通じて、生活困窮者のもとに届けられている。ある面でフードバンクは、食料支援を通じたセーフティネットを社会に構築する活動だとも言える。

最近は、小学校のＰＴＡ活動の一環としてフードドライブを実施していただき、そこで集められた食料の寄贈を受けることもある。フードドライブを通じて、地域の人々のまなざしが生活困窮者に注がれることを心より期待している。

「フードバンクふじのくに」は県内において、今日まで着実に歩みを進めてきたが、実は課題もある。その一つは、運営費を確保することである。フードバンクの運営は多くの場合、寄付金に依存する。個人や企業からの寄付金に対して税制優遇の働く「認定ＮＰＯ法人」の特性を生かし、これからは寄付の呼びかけも進めていきたいと考えており、お力添えをいただければ幸いである。

また、私たちの活動の幅が広がるにつれ、食料を保管する場所が手狭になりつつある。この面でも、広く社会から支援をいただくことができればありがたいと思っている。

そして、私たちの活動に共鳴して下さる方々の参加も期待している。食料の仕分けや箱詰め、さらには運搬、そして事務的な仕事など、地域の人々の持つ様々な力をボランティアという形でお借りできれば、私たちの活動はさらに充実したものになるはずだ。

今後も私たちは、地域社会の期待に応えることができるよう精いっぱい活動を続けていくつもりである。

朝日新聞静岡版　二〇一七年七月一三日

「食品ロス削減推進法」成立

五月二十四日に、「食品ロスの削減の推進に関する法律」が成立した。食品ロスとは、「本来食べられるにも関わらず捨てられた食品」（農林水産省ＨＰ）のことを言う。日本における食品ロスの量は約六百四十三万トン（二〇一六年度）に上る。この食品ロスの量を国民一人当たりに換算すると、毎日「お茶碗約一杯分（約百三十九グラム）」（消費者庁ＨＰ）に相当する量が廃棄されていることになる。

今回成立した法律は、超党派の議員立法で国会に提出されたが、法の目的は、「国、地方公共団体、事業者、消費者等の多様な主体が連携し、国民運動として食品ロスの削減を推進する」（前文）ことである。

この法律の成立により、政府は食品ロス削減に向けた基本方針を閣議に諮り決定することが義務付けられた（一一条）。そして、都道府県・市町村には、国の基本方針を踏まえて、「食品ロス削減推進計画」の策定に努めるよう求めている（一二・一三条）。

こうして、国や都道府県・市町村が率先して食品ロスの削減に取り組むことを目指すことになった。さらに、基本的施策の一つとして、国や都道府県・市町村に対し、フードバンク活動を支援することを求めている（一九条）。

これまで、日本のフードバンクは民間が主導して活動を展開してきた。食料や運営資金の調達、そしてボランティアスタッフの確保まで、そのほとんどを自前でやってきた。組織を運営するにあたっては、さまざまな困難に直面し、その都度組織の構成員が知恵を出し合って乗り越えてきたのである。この法律の制定により、即座にすべてが解決するとはいえないにしても、かつてよりは活動の環境が整うことは間違いないであろう。

今後は、この法律を通じて、食品ロスの削減という国民運動に拍車がかかると同時に、フードバンクの活動がさらに活性化することを願いたい。

中日新聞静岡版　二〇一九年六月九日

「フードバンクふじのくに」の5年

私が関わっている「フードバンクふじのくに」は、二〇一四年五月二十日に活動を開始してから丸五年が経過した。

静岡県内を中心に、生活困窮者を「食」の面から支援することを目的に活動を開始。当初は、「フードバンク」そのものを知らない県民も多かったが、新聞やテレビを通じて私たちの活動を報道していただいた結果、次第に県民に知られる存在となってきた。

フードバンクは、品質に問題がないにも関わらず店頭で売り物にならない食品や家庭で食べ余している食料を集め、それを「食」に事欠く人々や福祉施設に配布する活動である。現在は、このような活動が全国的に広がっており、各都道府県に必ず一つのフードバンクが存在するようになった。

食べられるにもかかわらず廃棄される食料は「食品ロス」と呼ばれ、農水省の統計によれば年間六百四十三万トンとされている。この量は世界全体の食料援助量（約三百二十万トン）の二倍にのぼる。フードバンクはこのような食料を有効に活用して、生活困窮者支援行っている。その意味では、生活保護に至る前の段階におけるセーフティーネットとしての役割を果たしているともいえる。

ところで、「フードバンクふじのくに」は、「食の貯蔵庫」としての性格を有しており、生活困窮者支援の第一線で活動を行っている非営利組織や社会福祉協議会、さらには行政の福祉窓口等に食料を提供し、そのような組織や機関を通じて生活困窮者へ届けている。また、最近は地域で広がりを見せている「子ども食堂」などにも食料を提供するようになった。

「フードバンクふじのくに」の活動が広がりを見せてきたとはいえ、私たちだけで生活困窮者支援を行うことは不可能だ。地域のさまざまな諸機関・組織と連携し、生活困窮者支援の仕組みを構築していくことが必要であり、私たちもその一角を担う覚悟でいる。

中日新聞静岡版　二〇一九年六月三〇日

六、大学人のまなざし

現地で学ぶ

私のゼミ（行政学）では毎年夏に合宿を行っている。合宿というと涼しい部屋にこもって文献と格闘するというイメージがあるかもしれないが、私のゼミではフィールドに出ていき、そこから普段学ぶことのできないことを大いに学ぼうという目的で実施している。今年は八月前半に二泊三日で愛媛県松山市と今治市を訪れた。

毎年五月の連休明けごろから、ゼミ生と合宿先をどこにするのかという話し合いを行う。ゼミの活動は学生が主体であるので、訪問先の決定から交通手段の選択、チケットや宿泊先の手配、加えて訪問地での行政機関や各種団体への訪問の調整などをすべて学生が行う。私は彼らの活動を見守り、側面的にサポートするだけである。

私のゼミの場合、行政学（地方自治を含む）を学ぶということから、公務の世界に関心を持つ学生が多い。そのため、大抵は現地の自治体を訪問させていただき、学生たちが設定したテーマに関し、関係課の担当者からお話をお聞きするということになる。

今回のテーマは、松山、今治両市の観光政策に関してであった。何よりもありがたいことは、両市とも私を含め総勢十九名という他県からの訪問者を大変温かく迎えてくださったことである。そして学生たちがあらかじめ送っていた質問内容に即し、大変熱心に説明してくださり、私たちの質問にも丁寧に対応していただいた。

学生たちは松山で道後温泉につかり、松山城や坂の上の雲ミュージアムを訪れ、「坂の上の雲」（司馬遼太郎作）に出てくる主人公の正岡子規や秋山兄弟に思いを馳せた。まさに「屋根のない博物館」である松山を堪能しつつ、市の観光政策について市の担当者からお話をお聞きし、認識を深めた。また、今治では「しまなみ海道」を活用し、サイクリングを切り口とした観光政策が進められていること、さらにゆるキャラ「バリィさん」についても話を聞き、それらが市の観光に大きな効果をもたらしていることを知った。

文献を通じて学んだことを実際に現地で見て体験する。このような学びをこれからも学生たちと共に続けていきたい。

中日新聞静岡版　二〇一三年八月二五日

夏休み

梅雨も明けて、今、夏真っ盛り。私の勤務する大学でも前期の期末試験が終わり、学生たちは夏休みに入った。八月初旬から九月末までの約二か月、学生たちは学業を休み、夏の時間を思い思いに過ごす。郷里に帰省する者、部活に励む者、旅行に行く者、研究に打ち込む者、あるいはアルバイトに励む者、いろいろである。

夏休みのように、まとまった時間が取れる時には、何か授業期間中にはできないことに挑戦してみてほしい、これが教員の立場からの私の思いである。どんなことであれ、じっくりと時間をかけて取り組んだことは学生時代の良き思い出となるはずだ。

ところで、大学教員の夏休みはどうであろうか。多くの人々から、「大学教員は長い夏休みがあってうらやましい」と思われているかもしれない。しかし、実態は大きく異なる。今、われわれ大学教員に期待されていることは、良い教育を施すこと、優れた研究を世に示すこと、大学の構成員として学内行政に参画すること、そして自らの研究成果を地域社会へ還元することなどである。

これらのことをバランスよく行っていくためには時間がいくらあっても足りない。そのため、私にとっては、授業から解放されるこの夏休みこそ、極めて大切な時間となる。後期からの授業の準備や、自分が取り組んでいる研究を進めるためには格好の機会である。そして、普段ゆっくりと本を読む時間が取れないので、この時ばかりにと本を買い込むのも私の風物詩となっている。私は夏休みの時間を通して、後期からの授業や研究に対するエネルギーを蓄えることができる。

しかし、このような至福の時間を過ごせるのも八月末までというのが現実である。九月に入ると、われわれ教員はまた大学のさまざまな業務に奔走することになる。それまでしばしの間、緑陰で読書三昧《ざんまい》といきたいものである。

憂えること

中日新聞静岡版　二〇一四年八月一〇日

今、日本社会で気になることがいくつか起こっている。

憲法学者の多くが違憲だとしている安全保障関連法案が、廃案どころか間もなく採決されようとしている。さらに、自民党の勉強会において出席した議員から、報道機関への圧力とも取れる発言がなされ、党内で処分を受けた。

これまで、政権政党の自民党でさえ、この種のことについては、ある程度の節度を持って対応してきたはずである。ところが、安倍政権になってから、そのたがが大きく緩み始めている。

加えて、先ごろ国立大学法人のしかも人文社会科学系学部に身を置く者として、聞き逃すことのできない通知が文部科学省から出された。

それは、国立大学法人の教員養成系や人文社会科学系の学部や大学院の見直しを迫るものであった。

このような通知が出された背景には、これまで国立大学の文系学部では、社会の要請に応えた人材養成がなされていないこと。さらには、日本の競争力を高めるためには、国費が投入されている国立大学文系学部への予算を減らし、そこで浮いた分を理系学部に回す方が良い、という考えがあるからだろう。

私たちは、このような社会から発せられる見解にも耳を傾けなければならないとは思う。しかし、これまで国立大学文系学部が果たしてきた役割もある。それは、今日まで、地元をはじめ、日本各地から有為な学生を集め、社会を多面的・多角的に捉え思考することの大切さを教えてきたということである。そのような中から多くの有能な人材が育ったはずだ。

時間の流れが速く、先の見通しが効かない現代社会にあっても、文系学部で提供されるさまざまな学びの機会は、やがて学生たちが弾力性のある日本社会を生み出す原動力になるとも考えている。

今、日本社会全体が冷静さを取り戻すことを期待したい。

中日新聞静岡版　二〇一五年七月一二日

年の瀬

毎年のことであるが、年末になると一年を振り返り、新たに迎える年に思いをはせる。

今年は二度海外の調査に行った。新年早々にインドネシア・スマトラ島へ出かけ、二〇〇四年の暮れに発生したスマトラ島沖地震の被災地の復興状況を調査した。地震発生後十年が経過した被災地は、大地震の爪痕がほとんど消え、平安を取り戻していた。インドネシアの経験は、東日本大震災の復興に関し、いろいろな示唆を与えてくれたように思う。

そして、九月にはアメリカ・サンフランシスコ湾岸地域を調査することができた。サンフランシスコは経済的繁栄を謳歌《おうか》していたが、その反面、家賃は想像を絶するほど高騰しており、低家賃住宅を見つけることが困難な状況が続いていた。都市の繁栄の裏には、経済的格差や貧困の問題が横たわっていることを実感した。

これら海外での調査は私自身に多くの気づきの機会を与えてくれ、大変有意義であった。

一方、今年は、「命」や「戦争」のことを考えることが多かった。海外で頻発するテロ事件。普通の市民が巻き添えになってしまうことの理不尽さに心が痛んだ。

国内に目を向けても、九月十九日参院本会議での安全保障関連法案の可決・成立に、何とも表現のしようがないむなしい思いがした。憲法学者をはじめとする学者の多くが反対し、国民の多くも十分かつ慎重な審議が必要だと考えていた法案が、あっという間に採決され、数に押し切られてしまった。これから日本はどこへ向かうのであろうか。「戦争」に加担することだけは避けなければならない。

来年は夏に参議院選挙が予定されている。この選挙から、新たに十八歳の有権者が投票所に向かうことになる。これから日本にとって大切なことは、選挙権を持つ若い人々が「良き有権者」として育っていくことだ。そこに日本の未来を託してみたい。

中日新聞静岡版　二〇一五年一二月二〇日

巣立ち

三月二十一日に、私が勤務する静岡大学（静岡キャンパス）の卒業式が行われ、私のゼミ生十二名も無事卒業することができた。私が所属する法学科では、二年次から各ゼミに所属することになるため、ゼミ生とは三年間共に過ごすことになる。二年生になり、各自の問題関心によりゼミを選択することになるが、私のゼミは「行政学」を看板にしているため、民間企業に就職する学生もいるが、公務員になる学生が比較的多い。

ゼミでの三年間一貫教育は、教員にとっても、ゼミ生にとっても、とても良い機会だと思っている。学生たちは、三年間一人の教員と向き合い、学ぶことができる。学生が難しい問題に直面した時には、教員も悩みを共有し、解決する道筋を探る。そして、私たち教員は、ゼミ生一人一人が学びの面における成長を見届けるだけでなく、人間として成長していく姿を垣間見ることができる。卒業式を迎え、まばゆいばかりのゼミ生を見ていると、自分の責任を果たし終えたことの安堵《あんど》感と同時に一抹のさみしさも募る。しかし、このような思いも教員として冥利《みょうり》に尽きるということだろう。

今年卒業した学生たちに、私は渡辺和子著『面倒だから、しよう』（幻冬舎）の中の言葉を送った。それは、「きれいな人」と「美しい人」とは異なるということだ。彼女の言葉によれば、「きれい」になる、あるいは「きれい」にするためにはお金を必要とするが、「美しさ」に必要なことは、「心の輝き」であるという。この世の中、物質的・金銭的なものが優先されることが多いが、そのようなものから離れ、「美しさ」を身にまとった人になるため必要なことは、私たち自身の「心の輝き」であるという。この言葉に私も感銘を受け、これから巣立っていく学生たちにも知ってほしいと思った。

卒業したゼミ生一人一人が、物心両面において豊かな人生を築くよう心より祈りたい。

中日新聞静岡版　二〇一六年三月二七日

リオデジャネイロ五輪

躍動感あふれる夏。スポーツ観戦が好きな私にとって、今年は格別だ。四年に一度のスポーツの祭典、リオデジャネイロ五輪が開幕し、十七日間にわたる熱戦が繰り広げられている。日本からは三百三十八人の選手が参加している。

今回の五輪では、開幕前にロシアのドーピング問題が明らかになり、暗い影を落とした。加えて、人口六百万人を超える大都市リオデジャネイロの富と貧困の二面性がもたらす社会問題、特に治安面の不安も取り沙汰されて、決して順風満帆に開幕まで漕ぎつけたわけではなかった。さらに、開催決定時は経済状況も活況を呈していたが、一転して今は不景気が続いている。そのため、今回の五輪では、施設建設費や運営費の削減もテーマとなっている。

とはいえ、南米で初めて開催される今回の五輪。いろいろな課題を抱えてはいるが、やはり世界のスポーツの祭典。これから繰り広げられるさまざまな競技での選手の活躍に眼差《まなざ》しを注ぎたい。

日本と現地の時差は十二時間。まさに昼と夜が逆転するが、ほとんどの競技がライブないしは録画で放映される。そのため、現地にいるような感覚で観戦できるのでありがたい。

五輪はまだ前半戦だが、日本選手も大活躍している。最初の金メダルは競泳男子四百メートル個人メドレーで萩野公介選手が獲得したが、その後も体操男子団体、柔道男子の大野将平選手（七十三キロ級）と続いている。われわれ国民は金メダルの獲得に目を奪われてしまうが、銅メダルでも日本選手が表彰台に上っている。そして、メダルには届かなくても、五輪という四年に一度のひのき舞台で、全力を傾けて世界の強豪と戦っている日本選手の姿に感動を覚える。

世界のスポーツの祭典は、勝負の世界でもある。勝負に敗れても、選手一人一人にはドラマがあり、それに触れることも五輪の楽しみの一つである。

中日新聞静岡版　二〇一六年八月一四日

「地域創造学環」の取り組み

私が勤務する静岡大学では、今年四月より全学教育プログラムである「地域創造学環」（学環）をスタートさせた。この教育プログラムは、静岡大学が持つ教育資源を活かし、地域が抱える課題解決に貢献する人材を育成することを目指すものである。

四月には五十二人の学生が入学し、新たなプログラムのもとで勉学に励んでいる。学環には、「地域経営」「地域共生」「地域環境・防災」「アート＆マネジメント」「スポーツプロモーション」の五コースがあり、学生は一年生の後期から各コースに所属する。学生たちは今、自身の興味や関心に基づいてコースを選択し、学びを進めている。

学環で学ぶに当たり、特に重要視しているのが、フィールドワークだ。県内数カ所にフィールドを設定し、そこで学生たちは地域のことを学び、地域の課題を探し出し、その解決策の提案に向けての検討を進めて行くことになる。

これまでのフィールドワークは単年度限りの取り組みが多かったように思うが、それでは課題解決は困難である。そこで、学環におけるフィールドワークは、単年度で完結するのではなく、学生たちが手掛けている課題解決の取り組みが一段落するまで、数年にわたり継続することにしている。加えて、学生たちはコースの枠を越えてチームを編成し、多様な視点から地域の課題にアプローチすることができる体制にする予定だ。

学生たちは、十月よりフィールドワークを始めた。まだ一年生なので、各フィールドに入り、地域のことを知ることから始まるため、短期間で結果を出すことは不可能だろう。しかし、学生たちが若くて斬新なまなざしで地域に触れることにより、われわれが想定していないような解決策を提案してくれるのではないかと期待を寄せている。今後も地域の皆様の多大なご協力・ご支援をいただければと願う次第である。

中日新聞静岡版　二〇一六年一〇月三〇日

クリスマスの過ごし方

今日はクリスマス。日本はキリスト教国ではないので、多くの日本人は、クリスマスがプレゼントをもらったり、交換したりする日だと考えている。しかし、クリスチャンにとってのクリスマスは違った意味がある。クリスマスは、まさにイエス・キリストの誕生を祝う日であるとともに、その生涯に思いをはせる日でもあろう。

ある人が、「クリスマスの精神は、慈愛、寛容、善意である」と述べたことを聞いたことがある。私も聖書に親しむ生活をしているため、この言葉に共感した。クリスマスは、プレゼントをもらうだけでなく、自分の隣人に自らの慈愛をプレゼントする時でもあるということだ。つまり、人に対して何らかの奉仕をすること、それがクリスマスの時期の過ごし方でもある。

随分前にアメリカで生活をしていた時、クリスマスの時期になると多くのアメリカ人が故郷の家族の元に集まる光景を目にした。日本人が年の暮れや正月に家族で過ごすのと同じである。キリスト教国において、クリスマスは家族と過ごす日、そして家族の絆を確かめ強める時でもある。私たち日本人も今日ばかりは、周りの人々を思いやり、家族愛を深めるために家族と過ごしても良いのではないだろうか。そうすることにより、今までとは違ったクリスマスの情景を目にすることができる。そればかりではなく、その時にこそ本当のクリスマスの精神を体験することができるはずだ。

二〇一六年も間もなく暮れようとしている。今年一年を象徴する漢字は「金」であった。リオデジャネイロ五輪での金メダルラッシュ、政治と「金」の問題等、「金」にまつわることの多かった年であった。確かに、「金」にはいろいろな側面がある。しかし、私たちにとって大切なことは、「金」（カネ）では買うことのできない価値あることに心を向けてみるということであり、それもクリスマスの過ごし方の一つだと思う。

中日新聞静岡版　二〇一六年一二月二五日

入学式で思う　「知の共同体」の発展

私が勤務する静岡大学は４日にグランシップの大ホールにおいて入学式を行った。今年は学部、大学院合わせて２７０８人の新入生を迎えた。

私はこの４月から人文社会科学部長を務めることになり、石井潔新学長をはじめ理事・副学長ら役員の方々や他の部局長と共に、初めて壇上から入学式に臨んだ。会場は新入生とそのご家族でほぼ満席だった。荘厳な中にあってもこれから始まる学生生活に期待を寄せ、希望に溢《あふ》れる新入生の顔を見ることができ、とても心温まる入学式だった。

式辞で石井学長は静岡大学の理念である「自由啓発・未来創成」に触れ、「静岡大学を自由闊達で多様性に満ちた教育・研究の場として更に発展させて行くためには、若い皆さんの協力が絶対に必要です。共に学び、共に語り合い、この時代と社会を少しでもよいものにするために私たちに何ができるのかを一緒に考えようではありませんか」と語りかけた。私も石井学長のメッセージに共感する。

私が所属する人文社会科学部には「学術憲章」（２００４年４月１日制定）があり、学部の教育・研究はまさにこの憲章に基づいて行われている。その核となるのが、「自由な知的活動が展開される知の共同体」を築くことである。この「知の共同体」は、教職員と学生が共に切磋琢磨《せっさたくま》しあいながら築き上げて行くもので、まさに石井学長のメッセージと共鳴する。今後、私たち教職員が学生たちとの交わりの中で、相互に啓発する機会がさらに増えていくことを心より期待している。

ところで、人文社会科学部の前身は、１９２２年（大正11）創設の旧制静岡高等学校だ。戦後、49年（昭和24）に静岡大学が誕生したが、その時は文理・工学・教育の３学部であった。文理学部は65年（昭和40）に人文学部と理学部に改組され、その後、キャンパスを、現葵区の大岩（現在の城北公園）から駿河区の大谷地区に移転した。そして、２０１２年（平成24）に人文学部の更なる発展を目指し、名称を人文社会科学部に変更して現在に至っている。

これまで、人文社会科学部はまさに、県内における人文・社会科学両分野における高等教育の中核的な役割を担い、数多くの卒業生を世に送り出してきたと言える。私もこのような歴史ある学部の構成員の一人として、これからも学生たちの教育に、そして研究の発展に尽くしていきたいと考えている。

朝日新聞静岡版　二〇一七年四月一三日

川根本町議会とゼミ生の交流

私と川根本町議会との交流は今でも続いている。きっかけは、議会基本条例（二〇一三年六月二十七日施行）の策定に関し、アドバイスや講演をさせていただいてからである。

昨年度も町議会活動の活発化や議員の政策形成力の向上を狙いとして、研修会の講師をさせていただいた。その折に、私のゼミの学生も交えての交流をしてみようということになった。

私からは、毎年夏にゼミ合宿を行っているので、今年は川根本町を訪問し、そこで町議の方々と町の政策課題について意見交換を行ってみたらどうか、という提案をさせていただき、町議会から了解を得た。

今年六月には、ゼミ生を伴い川根本町を訪問し、町の現況を視察した。そして、七月には町議会から三人の町議にゼミへ来てもらい、町の総合計画を中心にお話をいただいた。

それを受けてゼミ生は、二〇一五年度に整備された高速ブロードバンド環境を活用したまちづくりを大きなテーマに選び、三つのグループ（教育、観光・経済活性化、高齢者医療・福祉）に分かれて政策提案の検討を始めた。そして、八月五〜七日に二泊三日のゼミ合宿を行った。

学生たちは八月五〜六日の二日間、グループごとに取りまとめてあった提案内容を再検討するため補足調査を行い、プレゼンテーション用資料を点検した。六日の夜は、その作業が深夜まで及んだが、学生たちはグループごとに提案内容の練り直しをやり遂げた。そして、七日は、グループごとに検討した成果を町議の方々の前で発表した。その後、十二人の町議と学生たちは三グループに分かれて意見交換を行った。

学生たちの提案は確かに未熟なところもあったが、若い感性を生かしたユニークなものであったと思う。少しでも町議の皆さまの参考になれば幸いである。

中日新聞静岡版　二〇一七年八月一三日

何かに打ち込み　有意義な夏休みを

今、学生たちは夏休みの真っ最中だ。前期末試験が終わる8月第2週から9月末までの約2カ月間が夏休みとなっている。学生たちは、それぞれ思い思いにこの期間を過ごしている。

昔、大学の夏休みは、7月の中旬から始まり、9月の半ばまでの2カ月というのが一般的だった。そして、夏休み明けに前期の期末試験が行われ、数日間の休みを経て、10月1日から後期の授業が始まった。そのため、夏休みも後半は期末試験のために勉強をしなければならない、というのが大学生の姿であった。しかし、授業が終わった後、すぐに試験を終えた方が学生たちには良いのではないかということで、現在のような形になったように思う。

確かに、最近は夏休み期間中にインターンシップをする学生や、海外の大学で短期の語学研修をする学生も増えている。試験のことを気にせず、自分が計画したことに思う存分打ち込める時間をもつことができるという面では、今の形も良いのかもしれない。

私のゼミの学生たちがどのように過ごしているのかも気になるが、事故のないよう有意義に過ごしてほしいと願っている。

実は、私自身、学生たちに期待していることが二つある。一つ目は、夏休みに読書をしてほしいということだ。テーマを決めて読んでみても良いし、普段は読めない難解な本に挑戦してみても良い。いずれにしても、約2カ月の夏休み期間中に「文字」からまったく離れてしまうのではなく、自分が選んだ本にじっくり向き合ってほしいと思っている。ひょっとすると、そのような読書体験が、その後の自分の学びや人生に大きな影響を及ぼすことになるかもしれないと思うからだ。

二つ目は、夏休みを問わず、海外に足を向けてほしいということである。ゼミ生のうち半分程度は高校生の時に修学旅行で海外体験をしている。しかし、大学生になり自分が立てた計画の中で海外体験をすることは、自身にとって新鮮な発見や驚きを得る機会となることだろう。私は、若い学生たちにはそのよう機会を得ることがとても大切だと考えている。ある面で、それまで自分自身が抱いていた価値観が大きく変わるきっかけにもなるように思う。大学生の時に是非このような体験をしてほしいと願っている。

夏休み。学生たちは暑い時期に学業から解放され、自由な時間を過ごすことができる。どのように過ごすかは、一人一人に委ねられているが、自分が取り組んだことの中で、一つでも良いから何か手ごたえを感じて夏休みを終えてほしいものだ。

朝日新聞静岡版　二〇一七年九月七日

若者の進学支援　何ができるか考える

先日、東京にある公益財団法人パブリックリソース財団の求めに応じて、奨学金支給生の選考に携わる機会があった。この奨学資金は、ある県内在住者から寄託されたもので、経済的に恵まれない家庭の高校生に高等教育を受けるための資金の一部を支援しようとしていた。

同財団は、支援者の思いを基金という形にして公募要項を定めている。この基金により、毎年高校生1人に短大または大学卒業までの間、奨学金が支給される。貸与ではなく給付型の奨学金だ。今回は、公募の条件にかなう高校生1人から応募があり、選考のための面接をした。応募者は人柄や高校での学業成績も申し分なく、私も含めて全員一致して「採用」という判断をした。

このように私的ではあるが、支援者の思いのこもった奨学資金は、社会にはあまり知られてはいないものの、大変貴重だと思う。最近は、今回の支援者のように、自分の財産の全部または一部を基金化して、将来を担う若者のために役立たせたいと考える人も増えているようだ。しかも、そのような個人の思いの実現に手を貸す、パブリックリソース財団のような組織も日本の各地に誕生している。自分の財産を若者の夢の実現に使うことは、価値のあるお金の使い方だといえよう。

一人の人が育つためには、時間とお金が必要だ。特に、お金の工面には苦労する家庭も多いのではないかと感じる。私が勤務する静岡大学の場合、入学金は28万2千円、授業料は年間53万５８００円。初年度は入学金と授業料を合わせて81万７８００円が必要だ。授業料は、4年間で２１４万３２００円支払うことになる。その他に教科書代なども必要になるので、大学卒業までに必要となる費用はそれ以上ということになる。この金額の家計への負担は決して軽くはない。

かつて、私が関わった学生の中には、双子の妹の東京の大学への進学を助けるため、兄である自分は静岡に残り、学費が半額になる夜間主コースで学んだ者がいた。大学4年間を親からの仕送りに一切頼らず、奨学金、授業料免除、アルバイトで卒業した女子学生もいた。これらの学生は、自らの境遇はどうあれ、大学で学べることに喜びを得て充実した学生活を送っていた。

大学で学ぶ意欲と能力のある若者が経済的理由から進学をあきらめるなら大変残念だ。「高等教育の無償化」の議論も始まった。どのような制度を構築するのか政治の責任は大きいが、われわれ国民の側でも何かできることはないか、一度考えてみる必要があるだろう。

朝日新聞静岡版　二〇一七年一一月二三日

運転免許証　自主返納

超高齢社会を迎えている日本。高齢ドライバーも多い。高齢に伴う身体機能や判断力の低下により、交通事故も増加している。高齢ドライバーによる交通事故を防ぐためには、運転免許証を自主返納し、自動車の運転から離れることが望ましい。しかし、「言うは易く行うは難し」のごとく、自主返納は結構難しい。いつまでも運転免許証を持ち続け、自動車を運転し続けようとする高齢者が多いのではないだろうか。そのことを一番気にするのは家族の方だろう。

私の父は今年九十三歳になった。五年前に母が他界してから、一人住まいをしている。公共交通機関が不便な地域のため、父親にとって自家用車は唯一の移動手段であった。運転歴は七十年ほど。父親は今年の五月まで自動車を運転していた。帰省のたび父親の運転する自動車に乗せてもらっていたが、九十歳を過ぎたころから運転がスムーズでないことに気が付いた。そこで、運転免許証の自主返納について話してみたが、まったく聞く耳を持たなかった。交通事故を起こしたらいけない。私たち夫婦と妹夫婦は気をもむばかりだった。

今年五月に転機が訪れた。父親が慢性硬膜下血腫で手術を受けた。それをきっかけに、運転免許証の返納を説得。しかし、父親は納得しなかった。退院後の父親は、記憶力・判断力が相当低下していたため、自家用車を運転しないように申し渡した。とはいえ、何とかして自動車を運転しようとする父親。それを妹夫婦が阻止してくれた。

ある時、妹は機転を利かせ、父親に分からないように自動車のキーを自分の家に持ち帰った。父親は、自分が自動車のキーをなくしてしまったと思ったようだ。それ以来、自動車の運転に興味を示さなくなった。こうして、父親の自動車運転の問題が解決しつつある。本人の納得のもとに免許証を返納できればよかったが、それが難しかったわが家の事例紹介である。

中日新聞静岡版　二〇一七年一一月二六日

学生と県議が意見交換　新たな視点も

２０００年に施行された「地方分権一括法」により、国と地方の関係は「対等・協力」の関係に変わった。分権型社会を築くうえで、決定機関としての議会が果たす役割はとても重要になっている。一般的に、地方議会には三つの役割があるとされる。①住民の代表機関②行政の監視③政策提言や条例の制定―である。

最近、特に強調されるようになったのが、③の政策提言や条例の制定である。地方議会がこの機能を発揮するため、「知の拠点」である大学と連携するという取り組みがみられるようになった。国立大学法人と県議会の相互協力に関しては、山形大学と山形県議会が「相互協力に関する協定書」（09年3月締結）を交わし、先鞭《せんべん》をつけた。日本全体を見渡してみると、市町村議会でも大学と協定を結ぶ例が増えている。

静岡県内では、まだ大学と連携協定を締結したという事例はない。だが、連携に前向きの議会もある。その一つが県議会である。

県議会と大学との連携の内容については今後さらに詰めていくことになると思うが、その一環として先日、私のゼミの学生と県議の意見交換会が開催された。県議会としては初めての取り組みに、ゼミの3年生が10人参加。当日は、はじめに県議会事務局から県議会の仕組みなどの説明を受けたのち、県議による本会議一般質問と執行部の答弁の様子を傍聴した。その後、2人の県議と「県の活性化と若者の地域定着に必要なこと」というテーマで意見交換をした。

私のゼミでは、「地方自治」を中心に学んでいるため、県の活性化や若者の地域定着は、ゼミで学ぶ主要なテーマの一つでもある。そのため、ゼミ生も積極的に自身の考えを伝えていた。

印象深かったのは、進行役の県議から県の強みないし良いところは何かと問われた時に、県外出身の学生たちから出された意見として多かったのが「防災の取り組み」だったことだ。県外出身の学生たちは、県民の防災意識の高さや防災への取り組み、さらには行政の施策が出身地に比べて充実している点を挙げた。

そして、他県に比べて優れている防災の取り組みを、もっとアピールすべきではないかと発言した。この指摘には県内出身の学生からも賛同する意見が出された。私自身、県内の防災の取り組みが県外にアピールできるほど優れているという意識が薄く、新たな気づきが得られ、有意義だった。

今回は県議会と学生との意見交換という交流だったが、今後は地域課題の解決に向けて、大学全体として地方議会との様々な連携の機会が増えていくことを期待したい。

朝日新聞静岡版　二〇一七年一二月一四日

クリスマスを迎える

今日はクリスマスイブだ。この特別な日に、クリスマスのことに思いを向けてみたい。

クリスチャンであるなしを問わず、クリスマスが近づくと玄関のドアにリースをつるし、家の中にクリスマスツリーを飾る家庭も多いことだろう。実はこれらの装飾の一つ一つに、イエス・キリストとその教えに関連するさまざまな意味が込められている。

クリスマスを象徴する色に緑や赤がある。クリスマスツリーには一般にモミの木など常緑樹が使われるが、一年中変わることのない緑色は、「永遠の命」への希望を表すと言われている。また、赤い色は、私たちが永遠の命を受けられるように、十字架上でイエス・キリストにより流された血を表すとされている。

クリスマスツリーの先端に飾る星は、輝く人類の希望を表している。そして、リースは丸い環となっていて、始めもなく終わりもないので、家族の愛と幸福が永遠に続くことの象徴でもある。

また、クリスマスツリーに飾る鐘（ベル）や「杖《つえ》のキャンデー」にも意味がある。鐘は昔、羊飼いらが迷い出た羊を呼び集める時に使ったように、人々がイエス・キリストの教えを受け入れて、生涯その道を歩むようにとの招きを意味する。「杖のキャンデー」は、羊飼いらの持ちものである杖を表し、私たちを神様の御許に連れ帰ることの象徴である。

このように、クリスマスの時期に私たちが手にしたり、見たりする装飾品にはすべて意味があることが分かる。

イエス・キリストの誕生を祝うこの時に、私たちはプレゼントを交換し、おいしい食事をいただくという物質的な喜びを味わう。しかし、もう一つのクリスマスの過ごし方、すなわち、物質的なことを離れて、他の人のために自らをささげてみるということも素晴らしいクリスマスの過ごし方ではないかと思う。

中日新聞静岡版　二〇一七年一二月二四日

受験シーズン到来　万全の態勢で臨む

新年を迎え、いよいよ受験シーズンが到来する。その最初の試験が大学入試センター試験である。今年も1月13、14日に実施された。受験生にとっては今後の進路を決める大切な試験。県内は幸いなことに降雪に見舞われることなく、好天のなかで２日間の試験が行われた。

この試験には、大学の教職員も深くかかわる。教員は主に試験監督を行い、職員はそれを側面的に支援する業務に就く。試験の行われる２日間、教職員が一体となり、それぞれ与えられた任務を遂行するのである。

今年の試験は全国で58万人余が志願し、県内では21の試験会場で約1万６６００人が挑戦したようだ。そのうち静岡大学は八つの試験会場を担当した。

センター試験の監督は、統一された仕様に基づき、全国のどの試験場においても同様に実施することが求められる。監督に就く教職員は表現できないほどの緊張感を味わうことになる。

試験監督業務を円滑に進めるため、大学では事前に２度の研修を行っている。1度目は12月中に各学部において、試験監督従事者を対象として英語のリスニングの予行演習を行う。センター試験にリスニングが導入されたのは２００６年度。当初は試験中に機器の不具合が起き、監督者も対応に苦労した。しかし、最近は使用する機器の性能も上がり、不具合が生じることはまれになった。とはいえ監督業務に間違いは許されないため、事前に予行演習を行うのである。年が明けて仕事始めの１月４日にはセンター試験の説明会を全学レベルで実施する。

このように、大学の教職員は万全の態勢でセンター試験に臨む。今年は、静岡大が担当したどの試験場でも間違いは起こらなかった。２日間の試験終了と共に安堵《あんど》の思いを抱くのは、受験生も大学の教職員も同じ。受験生だけでなく、大学の教職員にも苦労があることを知っていただけるとありがたい。

センター試験は２０２１年から「大学入学共通テスト」に変わる予定だ。特に英語の試験においては、４技能（「読む」「聞く」「話す」「書く」）を評価するため、民間試験の利用も明らかにされた。今後、どのような形になるにせよ、大学の教職員がこれからも入試と関わり続けることは間違いない。

朝日新聞静岡版　二〇一八年一月一八日

文系学部の社会への有益性示す研究

私が所属する静岡大人文社会科学部は、社会学科、言語文化学科、法学科、経済学科から構成されている。まさに、人文科学と社会科学の双方を包含する複合学部である。理系学部が注目される現状において、文系学部のプレゼンスをどうすれば高めることができるのだろうか？

数年前、内容の正確さには議論もあったが、文科省の「文系学部廃止」という衝撃的な報道がなされたことがある。報道が各界からの批判を喚起したこともあり、文科省は火消しに躍起になった。この報道を通じて私が痛切に感じたことは、文系学部の存在とその有益性を世に示していくことが極めて重要であるということであった。そのこともあり、私は昨年4月に学部長に就任してから、文系学部の研究、教育が「社会の役に立つ」ことを示すため、4学科を横断した「総合知」構築プロジェクトの推進を提案した。

その後、学部内で議論を進めた結果、一つの方向性が見えてきた。それは、現代社会をとらえる視座として「超越」（これを私たちは「トランス trans-」と表現する）という概念があるのではないだろうかということだった。そして、私たちのプロジェクトを「超越（トランス）の人文社会科学」と名付けた。「超越」は、人、モノ、カネ、情報、文化などあらゆるものが、それまでの「領域」や「境界」を越えて動き出した現代社会を分析するために考案された概念である。

人文社会科学部では、今後このプロジェクトを進めていくことになるが、そのキックオフとなる学術シンポジウムを2月4日に開催した。

２０１１年に協定締結以来、交流を続けている中国・上海の東華大外国語学院から3人の研究者を招き、「越境するヒト、モノ、言語　東アジアの事例から」というテーマで研究者が交流を深めた。

シンポジウムでは、国境という「境界」を越えた、日本と中国の社会的、文化的、経済的交流の実態が報告され、まさに「超越」という視点から今後の日中双方の交流の可能性を探る大変刺激的で有意義な内容だった。

私たちの取り組みは、まだ緒に就いたばかりであるが、着実に歩みを進め、研究成果を教育にもつなげていきたい。

朝日新聞静岡版　二〇一八年二月八日

春休み　読書で新たな世界を知って

私が勤務する静岡大学では、後期の授業が2月2日まで行われ、5日から9日まで期末試験があった。学生たちは試験終了後、学業から解放され、今は思い思いに時を過ごしていることだろう。新学期の始まる4月初旬まで約2カ月間、自由な時間を過ごすことができる。

教員の側からすれば、ただ漫然と過ごすのではなく、何か手ごたえのある過ごし方をしてほしいと願う。例えば、海外へ行き、日本とは異なる文化や言葉を体験するのもよいだろう。また、職業体験の機会を持ち、将来自分の就く職業について考えてみるのもよいことだ。今まで読むことのできなかった本をじっくり読んでみるというのも選択肢の一つだ。

全国大学生活協同組合連合会が2月26日に公表した「第53回学生生活実態調査」結果が、朝日新聞

（2月27日付朝刊）でも紹介された。この調査は、全国大学生協連が指定する30大学生協で回収された約1万人余りの学生の実態を反映している。

報告書は「学生の経済状況」「就職」「日常生活」の3分野で取りまとめられた。私が驚かされたのは、「日常生活」に関する調査の「読書時間・スマートフォン利用時間」の項目だ。調査結果によると、「1日の読書時間『0』は53・1%」で、調査開始以来、初めて半数を超えた。前年調査から4ポイント増え、5年間では18・6ポイントの増加だったという。「読書をしない」学生が年々増えていることは残念なことだ。しかし、1日の読書時間が「１２０分以上」の学生は５・３%で、10年以上この割合に大きな変化は見られない。「読書をしない」学生が増えている一方、長時間読書する学生が一定数存在していることには救われる思いがする。

また、「スマートフォンの利用時間」は1日当たり平均１７７・３分だという。1日に約3時間、スマホを操作していることになる。最近はスマホの機能も増大し、学生たちにとっては勉学上も不可欠なツールの一つとなっている。デジタル化された本に接していることも考えられないことはないが、やはり紙の書籍にも向き合ってほしいというのが私の思いである。

春休みの約2カ月。いろいろな人と出会い、その生き方を学ぶこともよいことだと思う。しかし、本を読み、まだ見知らぬ世界や事柄を知ること、そして何よりも一つのテーマについてまとまった分量で考えを深めることができることの醍醐味《だいごみ》を味わうのもよいことだ。

朝日新聞静岡版　二〇一八年三月八日

人生100年時代の学び

最近、「人生百年時代」という言葉を聞くようになった。今後、平均寿命が延びて、人間が百歳まで生きられる時代が来ることを予想してのことだという。

もともとは、英国のリンダ・グラットン氏（ロンドン・ビジネススクール教授）らが著書『ライフ・シフト』の中で提唱した言葉。これまで人間のライフコースは、平均寿命八十歳程度を基に設定していたが、それを見直す時期に来ているという問題提起だ。

日本政府も昨年九月に「人生百年時代構想会議」を設置した。首相官邸のホームページには、この会議の目的が「人生百年時代を見据えた経済・社会システムを実現するための政策のグランドデザイン」を検討するためとされている。そして、具体的なテーマの中に「何歳になっても学び直しができるリカレント教育」ということが盛り込まれた。

確かに、日本人の平均寿命が男女ともに八十歳を超える時代になった。人生を豊かに生きるために健康は欠かすことのできない条件ではあるが、私たちは自分の人生をもっと豊かに過ごすことを考えることも大切だ。

社会学者の吉見俊哉氏は、著書『「文系学部廃止」の衝撃』の中で、今後の日本において、「人生で三回、大学に入るのが望ましいと思う」社会の実現を構想している。一度目は十代後半から二十代前半、二度目は三十代、そして三度目は六十歳前後である。

これから大学は、若い人々だけではなく、広くさまざまな年代の人々が学ぶ場になる必要があると思う。私が勤務する静岡大学人文社会科学部でも、法・経両学科に夜間主コースが設置されている。十代から六十歳を過ぎた幅広い年代の学生が学んでいるが、そこでの学びの目的は実にさまざまである。

大学での学びを通じて、人生を豊かに生き抜く。それがこれからの日本人の姿になることを期待したい。

中日新聞静岡版　二〇一八年四月八日

「行政学」の事例　ニュースを活用

新学期が始まり、キャンパスに活気が戻った。授業が始まってから約2週間。はじめの頃はシラバス（授業計画）を片手に授業の行われる教室が分からず、戸惑っていた新入生も、だいぶ慣れてきたようだ。

今年度前期、私も「行政学」の授業を受け持っている。前期は4単位なので、7月末まで週2回、

90分の授業が30回ある。そして、成績評価は、リポートと期末試験の双方でつけることを履修者に告知した。学生たちには結構ハードかもしれない。

授業の担当者としては、分かりやすい授業を心掛け、学生たちの理解を促す工夫をする。授業の内容や使用する教材のことではいろいろと悩みを抱える。加えて、最近は学生同士が議論を通じて理解を深めるアクティブラーニング（能動的な学習）を取り入れることも求められている。80名を超える履修者がいる授業で、どのようなアクティブラーニングが可能か。他の教員の取り組みを参考にしながら、試行錯誤を繰り返している。

さて、「行政学」の授業だが、理論と実態の双方を話すことになる。行政学は、「政治学」との関連性が強い学問であるが、かといって政治学の一つの分野に留まるものでもなく、独自の領域を持っている。とりわけ、行政官僚制を研究対象の中心においている点は、政治学理論との大きな違いだと言える。

私自身は、これまで行政学理論と行政の実態を結びつけて授業を展開してきた。その際、事例とする題材を探すことに時間を費やしてきた。しかし今年の授業ではそれが容易だった。

今、話題となっている森友、加計問題や自衛隊の日報問題。さらには財務事務次官のセクハラ問題。これらはすべて、行政学の授業で活用できる事例だ。特に日本の公務員制度や政界と官界の力関係を話す時には格好の素材となる。今年は授業の中で、これらの問題にはどのような背景があるのか、そして問題の本質は何かを、学生たちと共に考えてみるつもりだ。そして学生たちが、諸問題と行政学の理論がどのように関わっているのか主体的に学べるようになれば、この授業の目的が達成できたと言ってもよい。

「行政学」はとかく行政官のための学問だと受け止められることが多い。しかし、広く一般市民に開かれた学問でもある。私はこの授業を通じ、学生たちに一人の市民として、行政活動のあり方に対する公の議論に加わっていけるような力を養ってもらえたらと願っている。

朝日新聞静岡版　二〇一八年四月二六日

学生スポーツと指導者

五月六日に行われた関西学院大と日本大のアメリカンフットボール定期戦。今、問題になっている日大守備選手による関学大クオーターバックの選手への反則タックルは、この試合の中で起こった。反則タックルの映像は、ユーチューブを通じて、明らかにされたが、素人の私が見ても悪質だと分かる。さらに、この選手はその後も複数の反則行為を働き、退場処分になった。特に、反則タックルを受けた関学大の選手は負傷した。

この反則行為について、日大の監督、コーチが選手に指示を出したのではないかという疑惑が起こっている。関学大から日大に対し抗議がなされ、日大は文書で関学大側に回答したが、選手と監督側に指示の内容に関して「乖離《かいり》があった」とするものであった。

選手にとって、監督・コーチかからの指示は重いと思う。選手は、アメフットが好きで日大に進学し、伝統のユニフォームを着てプレーすることに喜びを感じていたことだろう。試合に出場してプレーをすることが、本人のやりがいだったはずだ。指示があったとすれば、そのような学生の思いを踏みにじった指導者の罪は重い。

その後、日大の監督による関学大への謝罪は行われ、監督自らが責任を取って辞任することになったが、なぜ反則行為が起こったのかについては口が重い。それに対し、反則行為を行った学生が二十三日に、自ら記者会見に臨み、謝罪をした上で、問題発生の経緯を語った。

選手はまだ二十歳の若者である。成人したとはいえ、精神的には未熟な面が多い。その若者が自らの行為を真摯《しんし》に反省し、何があったのか真実を語る姿に悲しみを覚えた。一体、指導者は何をしているのだろう。真実に口を閉ざし、その責任を選手に負わせようとしているようにしか見えない。大学側の対応も指導者寄りに感じる。今回の件、真実を明らかにする責任は学生ではなく指導者にある。

中日新聞静岡版　二〇一八年五月二十七日

歴史に彩られた同窓会

静岡大学は六学部から構成されているが、五つの同窓会が組織されている。私が所属する人文社会科学部には「岳陵会」という名前の同窓会があり、六つの支部（北海道、東京、静岡、浜松、東海、関西）がある。同窓生の数は二万人以上に及ぶ。

一九四九年に新制大学がスタートしたころ、旧制静岡高校の系譜をひく人文社会科学部は文理学部としてスタートした。その後、理学部と分離して人文学部、そして現在の人文社会科学部に至るが、岳陵会の会員には、文理学部時代の卒業生も含まれている。

六月二日に、グランドホテル浜松で、全学同窓会の交流会が盛大に行われ、全国から五百人余の同窓生が集まった。学部や先輩後輩の枠を越えて親交を深めた。

私も学部長として招かれ、社会で活躍する多くの同窓生の方々と接したが、改めて静岡大学の歴史の重さを再認識した。

そして、翌週の六月九日には、岳陵会東京支部の総会に招かれた。東京・駒込にある女子栄養大学の松柏《しょうはく》軒を借りての総会であった。

東京支部の総会には、年配の同窓生が多数参加されたが、皆さんが学生時代を懐かしみ、その思い出を熱く語るその姿に、とても心温まるものを感じた。中でも、日本国憲法草案の取りまとめに尽力した鈴木安蔵先生（憲法学）を静岡大学へお迎えするため、学生たちが先生の自宅を訪れ、懇願したこと。そして学生たちの熱意に心打たれた鈴木先生が静岡大学に赴任されたことなどは、私にとっても興味深い話であった。また、アトラクションで平均年齢七十歳を超えた「グリークラブ」ＯＢによるコーラスが披露されが、歌う姿は学生時代をほうふつとさせるものであり、とても感銘を受けた。
二〇二二年に岳陵会は、旧制静岡高校から数えて百周年を祝うことになる。歴史と伝統に彩られた同窓会の更なる発展を期待したい。

中日新聞静岡版　二〇一八年六月二四日

知られざる大学教員の夏休み

私たち大学教員に期待されている仕事は４領域にわたる。教育、研究、学内行政と地域連携業務。人により、また時期により仕事に割く時間の割合は異なるが、一般的にはこの４領域での大学への貢献が求められる。

基本的に私たちは、大学院で研究者としての資質と素養を身に着けて教員になったことから、研究を重視したいという欲求は大きい。研究に割く時間をどのように見いだすのか、それは私たちにとって大きな課題だ。

私のように文系に身を置く人間は、研究室といっても、実験装置はさほど必要としない。文献や資料とそれを保管するスペース、机とパソコンがあれば、ほとんど用が足りる。物理的な環境が整えば仕事ははかどるはずだが、１日は24時間しかなく、どれだけ研究に配分するか、なかなか至難の業である。
そんな中でも、夏休みは研究に割く時間をまとめて取ることができるので、とても大切である。じっくりと読むことができなかった文献を読破したり、フィールド・スタディーの対象地域に赴き、実態を調査したりする。そして、そのような取り組みから得られた知見を論文や書籍にまとめる準備をする。

研究ばかりでなく後期からの授業準備も夏休み中の大切な仕事。私は不器用な人間なので、授業期間中は授業の準備と研究をうまく両立させることが苦手だ。そのため、夏休みのように授業のない期間に準備をし、それを授業期間中にすべて吐き出すという感じでやっている。

私は現在、学部長の職にあるため、出張の期間を除いてほぼ毎日、大学に出勤している。夏休み中も事務組織は通常通り稼働しており、学生対応こそ少ないが、後期からの授業の再開に向けて様々な準備と調整に当たる。今年の夏は、今後の学部や大学院のあり方について、担当する教員や事務職員と会議を設けることがあった。

今、日本の大学はたゆまぬ改革の渦の中に置かれ、将来ビジョンを自ら描き、それに基づいて着々と成果を挙げていくことが求められている。夏休みといえども学内行政に時間を割くことも必要になっており、地域連携への貢献もまたしかりだ。

大学教員は、このような状況の中であえいでいるというのが私の偽らざる実感である。

朝日新聞静岡版　二〇一八年九月一三日

秋の夜長に「考古学」のススメ

20～22日の３日間、考古学の分野では日本最大の学会である日本考古学協会の静岡大会が開催された。日本考古学協会は１９４８年に結成されてから今年でちょうど70周年を迎え、その記念すべき秋の大会を静岡大で引き受けることになった。

考古学協会の谷川章雄会長によれば、協会の発足のきっかけは、47年の登呂遺跡の総合的な発掘調査だという。静岡での大会開催は88年以来2度目。人文社会科学部の考古学担当教員の言葉によれば、まさに「聖地巡礼の意味もある」とのこと。

登呂遺跡といえば、かつて私のゼミに、この遺跡の魅力に取りつかれてしまった男子学生がいた。彼は大学進学にあたり、考古学を専攻したかったが、将来の就職のことを心配した親のことを思い、静岡大の人文学部（現在は人文社会科学部）法学科を受験し、合格した。入学後は、法学科の授業だけでなく、他学科の授業も受けられる本学部の利点を活用し、考古学も学んだ。そして、登呂遺跡の「弥生人体験クラブ」に入り、様々な催し物のボランティアとして熱心に活動していた。

４年間、自分が学びたいことを存分に学んで卒業した彼はその後、社会保険労務士の資格を取り、郷里で事務所を開業している。

登呂遺跡は、その発掘調査から70年以上経過した今も、日本の弥生時代後期の集落・水田遺跡としてその輝きが失われることはない。99年から5カ年の再発掘調査も行われ、２０１０年には登呂博物館もリニューアルオープンした。これからも登呂遺跡と登呂博物館を核に、弥生時代に関する最先端の研究が進められていくことを期待したい。

日本考古学協会のウェブサイトには、「考古学を学べる大学」とその講義名・担当者が掲載されている。県内では静岡大が唯一、考古学を学ぶことのできる大学となっている。今後も静岡大は県内における考古学の教育・研究の拠点として重要な役割を担い続けていくはずだ。

先週は、駿府城跡天守台発掘調査で、徳川家康が築城した城跡の中から、豊臣秀吉が家臣に造らせた城跡が見つかるという新発見があった。静岡に「歴史ブーム」が到来したかのような折、秋の夜長に静岡の歴史をひもといてみることもいいかもしれない。

朝日新聞静岡版　二〇一八年一〇月二五日

大学の夜間教育　より魅力あるものに

国立大学法人で、「夜間主コース」を設けている大学の学部長会議が毎年1回、11月第2週の金曜日に東京で開催されることになっている。今年は11月9日にあり、全国から静岡大学も含む22大学が集まった。

会議は、夜間教育を実施する学部が抱える諸課題の検討や教育内容の充実などを目的に開かれている。１９８４年に第1回が開かれ、今年で35回目だ。

現在、静岡大には人文社会科学部の法学科と経済学科に夜間主コースがあり、それぞれ定員は30人。人文社会科学部の夜間教育は、55年に設置された法経短期大学部（3年制）で始まった。その後、95年に4年制の夜間主コースに受け継がれ、現在に至っている。静岡大ではかつて工学部にも夜間主コースが設置されていたが、現在は廃止されているため、人文社会科学部が唯一になった。

夜間主コースの授業は、主として働きながら学ぶ学生を対象としているため、平日（月から金曜）17時50分～19時20分、19時30分～21時の2コマ、土曜日14時25分～15時55分、16時05分～17時35分の2コマとなっている。今回の会議では「夜間主コースにおける社会人（フルタイム勤務）学生への配慮」「夜間主コースにおける4年卒業の現状とカリキュラム」「夜間主コースにおける学生確保の方策について」の3点をテーマに意見交換をした。

夜間主コースは、文系と理系双方で設けられているが、文系は法学や経済が中心であり、理系の場合は工学が中心となっている。どの大学においても、フルタイムで勤務する社会人学生が4年間で卒業できる環境を整備するため、様々な工夫を凝らしている。

最近の特徴として挙げられることは、4年間での卒業が難しい学生に長期履修制度を導入するケースが増えていることである。この制度は、有職者の学生が5年ないし6年かけて履修することを認め

（最長は8年）、その場合には4年間分の授業料を大学が認めた修業年数に分割して納付するというものだ。本学も導入しており、毎年数名の学生が利用している。

文部科学省は、国立大学法人における夜間教育は昨今の社会事情に照らし、依然として必要性が失われていないと考えているようだ。社会人の再教育や生涯学習の場として、より魅力ある夜間教育をどのように提供することができるか。今、大学も学生の側に立った創意工夫を求められていると言えよう。

朝日新聞静岡版　二〇一八年一一月一五日

粘り強く卒論作成　最後は喜び共有

今年も余すところあと1カ月月となった。大学4年生は、卒業論文（卒論）作成に余念がないことだろう。

私が所属する法学科では、卒論が選択科目となっている。11人のゼミ生のうち、8人が卒論を選択した。日本の大学の法学部や法学科は、今でも卒論を選択科目にしているところが多いのではないだろうか。かつて法学部や法学科の学生は、司法試験をはじめ資格試験を受験する学生が多かった。このため、卒論の負担を軽減するため必修とはせず選択にしたようで、それが今日も引き継がれている。

さて8人のゼミ生は、3年生の時に次年度の卒論を視野に入れて、「単位論文」と称するリポートを提出する。その際、私は論文の基本的な書き方を指導する。そして、それをもとに4年生になってから、本格的な卒論の作成に入る。4月に卒論のテーマを報告させ、その後、自身の研究計画のもとに作業を進めることになる。しかし、前期中は就職活動のため、卒論作成作業はなかなかはかどらないというのが実態だ。

しかし、就職活動が一段落し、後期が始まるとすぐに、論文の目次を報告させる。半日をかけ、各自が設定したテーマに基づいて、結論が導き出せる内容になっているか否か、私も含めて全員で検討し、意見を言い合う。その後、ゼミ生は目次の構成を再検討し、不足している論点を埋める作業を継続していく。

11月半ばごろから1月末の提出を目指して執筆開始。それから約1カ月後、自らが執筆中の論文の要旨をとりまとめ、論文の中間報告会を行う。例年12月半ばから始まる中間報告会の段階で多くのゼミ生が自身の論文をほぼ書き終えており、報告はかなり具体的なものとなる。

各自からの報告を受ける中で、私自身は不足している点を容赦なく指摘する。ゼミ生は残された時間の中で、最大限の努力を傾けて修正を試みる。もちろん過去には息切れをおこしたゼミ生もいたが、ほとんどのゼミ生は自身の4年間の学びの集大成と位置づけ、最後まで粘り強く作業を継続する。

以上のような工程を経て1年間にわたる卒論の執筆作業が終わる。提出日に、研究室へ卒論を持参するゼミ生の顔からは満面の笑みがこぼれ、私自身もゼミ生と共に喜びを分かち合い、ねぎらいの言葉をかける。毎年のことではあるが、私にはかけがえのない時でもある。

そして、ゼミ生は母校を巣立っていく。これまで私のゼミでは、１５０人近いゼミ生が学んだ。初期のころのゼミ生とはほとんど音信不通になったが、時折、風の便りに元気に活躍していると耳にする。そんな時、学生時代の本人の姿を回想することも楽しみになってきた。いよいよ私自身も大学を去る日が近くなってきたということだろうか。これからもゼミ生の活躍と幸せを願い続けたい。

朝日新聞静岡版　二〇一八年一二月六日

海外で異文化に触れて

静岡大学では後期の期末試験も終わり、学生たちは四月の新年度が始まるまで自由な時間を過ごす。学生たちの中には、この時期に海外へ旅立つ学生もいる。私はゼミ生に、在学中一度でも良いから海外へ行ってほしいと思っている。

ゼミでこのような話をしても、大半は気乗りしないようであるが、そのうちに、一人でも海外へ行き、その土産話をするようになると、他の学生にも影響が及び、次第に海外へ行くゼミ生が増えていく。

ところで、最近は、高校時代に修学旅行で海外へ行った経験を持つ学生も増えているため、海外体験は昔に比べると一般的になりつつある。とはいえ、チケットの予約から旅行の行程まで、すべて自分で計画するような海外旅行は、それほど多くの学生が経験しているわけではない。私がゼミ生に勧めているのは、行きたいところを自分で決め、チケットやホテルも自分で予約し、行程をすべて自分で計画するというものである。

つい先日、ゼミ生の一人は、ウェブサイトでトルコ往復の格安チケットを見つけ、すぐ予約して、その翌日に機上の人となった。日本をたつときには、ホテルも予約せず、現地に到着してから宿泊先を決めるなど、実に若者らしい旅だ。そして、初めて見る海外の情景に感動をして帰国したが、その体験が本人にはとても良かったと話してくれた。また、もう一人の学生は、飛行機からホテルの予約、現地での行程まですべて自分で計画してドイツへ旅立った。

このように学生時代に、自分で計画をして海外を体験することはとても貴重である。これから、学生たちは自らの進路を決めていくことになるが、卒業する前に海外へ行き、日本とは異なる文化に触れ、異文化を体験しておくことは本人の人生にとってはかけがえのない機会となることだろう。学生たちには、これからも海外へ行き、異文化に触れることを勧めたい。

中日新聞静岡版　二〇一九年二月一七日

大学の社会的責任

昨年十二月に、私が勤務する静岡大学人文社会科学部と部局間交流を締結している、台湾の国立政治大学を訪問した。

訪問の目的は、政治大学において開催された、「地域課題解決と大学の役割」というテーマの国際ワークショップに参加するためであった。今回、地元台湾の大学関係者に加え、日本（静岡大学、北海道大学）、中国、アメリカ、カナダの大学関係者が招かれた。ワークショップは二日間開催されたが、初日はそれぞれの大学における地域課題解決への取り組み状況の報告と意見交換。二日目は、台北近郊における大学と地域の連携による課題解決事例の視察であった。

初日の事例報告では、各国の大学が、地域課題解決に大学がどのように取り組んでいるのか、その事例を報告した。私は、静岡大学が取り組んでいるフィールドワーク教育、特に全学横断教育プログラムである地域創造学環での経験を報告した。その後、各国での事例をもとに、意見交換を行った。

意見交換で印象的だったのは、「大学の社会的責任」（ＵＳＲ＝University Social Responsibility）に焦点が当てられたことである。大学が地域社会で社会的信頼を得るため、どのような責任を果たしているのか、あるいは今後果たすべきか、ということを巡って白熱した議論が展開された。

大学間競争が激しいアメリカやカナダでは、常に大学のランキングを意識しなければならず、そのためにＵＳＲの取り組みが重要になるという。そして、ＵＳＲの達成状況を判断するため、評価体系構築のための研究が盛んに行われていることを知った。

私自身、このワークショップに参加するまでは、「社会的責任」という視点で大学を評価する取り組みを十分に認識していなかった。今後は大学評価の新たな視点として、「社会的責任」をどのように位置付けるのか検討が必要だと感じている。

中日新聞静岡版　二〇一九年三月一七日

地道な研究　必ずや地域のために

まもなく書店の店頭で、静岡大学人文社会科学部・地域創造学環編「大学的静岡ガイド―こだわりの歩き方」という本が発売される。京都の昭和堂という書店が発売している各地の「大学的〇〇ガイド」シリーズの一環として出版された。すでに15冊が刊行され、この3月末までに本書の他、東京、高知、青森の4冊が加わり、19冊になる。そして、今後も出版は続き、日本の47都道府県を網羅するようだ。

これまで日本の各地を紹介するガイドブックはたくさん出版されてきたが、このシリーズの特徴は、その地域に根差し、教育・研究にあたってきた地元の大学の研究者が執筆している点である。本書の企画が昭和堂より持ち込まれてから足掛け2年。人文社会科学部の歴史学と社会学の若手教員2人が中心となり、出版に要する資金の算段から目次の構成、執筆者への依頼などすべてを引き受けてくれた。この2人の熱意がなければ出版にこぎつけられなかったのではないかと思っている。彼らは、出版社からせっかく持ち込まれた企画であり、静岡大であれば十分引き受けられると考え、ぜひ出版を、との思いが強かった。

彼らは「はじめに」の中で、「本書はまさに、『知り尽くした案内人』がそれぞれの『こだわり』に基づいて、新たな／別様なまちの歩き方を提案することを目指していると言える。あるいは、別様な『見方』『解釈』を提案するものでもある。そのことで、『何もない…ことはない』静岡が、今までと違って見えてくるのであり、そのスリリングを読者に感じ取ってもらえれば幸いである」とした。

まさにその通りで、静岡にこだわり、静岡大で教育・研究を行っている人文社会科学部、教育学部、理学部、農学部、そして地域創造学環にかかわりのある教員を中心に、私たちと普段からお付き合いのある在野の研究者も含め、総勢36人の研究成果が集成された。防災センターの教員も加わっており、総合的に「静岡」を描写していることも特徴である。

国立大学における人文社会科学系学部に関しては、今も社会においてその存在意義が問われることが多い。学問分野の性格上、すぐ結果が出せる研究はそれほど多くはないかもしれないが、地道に研究を進めていると必ずや地域の必要性にマッチした研究成果を生み出すことは可能なはずだ。私たちのこれからの使命は、そのような研究成果を社会に広く公開していく努力を続けることではないかと考えている。

本書が一人でも多くの人々に読んでいただけることを心より願い、2年余にわたる本コラムの執筆を終えることにする。

朝日新聞静岡版　二〇一九年三月一四日

安全運転の心得

先日、運転免許証の更新を行った。私自身は、幸いにも「優良」運転手なので、最寄りの警察署で手続きをし、三十分のビデオ講習を受けるだけで新しい免許証を受け取ることができた。

今回、ビデオ講習を受ける中で、「防衛運転」という言葉を聞いた。ひょっとすると前回（五年前）の講習時にも聞いていたのかもしれないが、今回はこの言葉がやけに心に残った。「防衛運転」は、「交通事故を回避するために行う運転方法」だという。私は通勤に自動車を使っているため、時折「ハット」するような事態に遭遇することがある。その時には、事故を回避できたことに「ホット」するのだが、常に交通ルールを守って、事故を起こさないように最善の注意を払うことをいつも心の片隅に置いている。

私は十八歳で運転免許証を取得して四十五年が過ぎた。二十代のころは長距離の運転も結構楽しんだが、五十歳を超えたころから、危険回避の反応が鈍ってきたことを自覚するようになった。そのため、自動車を運転する時には、車間距離を十分取ることや、自転車や子どもの急な飛び出しにも対応できるような速度での運転を心がけるようになった。その甲斐《かい》あって、今のところ交通事故を起こさずに済んでいる。

今回、免許更新時の講習では、自動車運転における、ドライバー同士あるいはドライバーと歩行者等とのコミュニケーションが大切であることも学んだ。私もその通りだと思っている。自動車は移動手段として便利な反面、人に危害を加える「凶器」にもなる可能性があるのだから、ドライバー同士、あるいはドライバーと歩行者のコミュニケーション（アイコンタクト等）が不可欠である。

私は、交差点での右左折の際、事故を防ぐため、対向車のドライバーや横断歩道を渡る歩行者とさまざまな形でコミュニケーションをとるように心がけている。

中日新聞静岡版　二〇一九年八月二五日

中国の大学との交流

九月初旬に上海・東華大を訪れた。私が勤務する静岡大人文社会科学部は、東華大外国語学院と今から八年前に部局間交流協定を締結し、教育及び研究交流を進めている。

両大学の学生は、それぞれ隔年ごとに相互の大学を訪問して交流する。昨年は、東華大の学生が本学を訪問して、経済学科の授業を受講し、その後静岡県内の企業を視察した。今年は、本学の学生八名が東華大を訪れ、外国語学院の学生との交流や、上海の現状を学ぶ機会を持った。

研究面においても、相互交流を進めようということで、昨年二月にはプレシンポジウムを静岡大が主催して開催した。そして、今年は静岡大の教員が私も含めて五名で東華大を訪問し、シンポジウムに参加した。

文学、歴史そして経済と広い分野にわたって、両大学の教員が日頃の研究成果を報告し合った。シンポジウムは、丸一日かけて行われたが、とても実りあるものとなった。今回のシンポジウムで報告してくださった外国語学院の教員の多くは日本に留学経験のある方々であったので、日本語で交流することができてとても助かった。今後も、このような交流の機会を継続していくことを確認してシンポジウムを閉じた。

私自身にとって、上海は初めての経験であった。上海・浦東空港に降り立った時から感じたことであるが、中国は実にスケールが大きい。そして、滞在日数はわずかであったが、経済発展著しい中国のエネルギーを肌で感じることができた。

これまで、私の関心は欧米に向いていたが、さまざまな面で中国が日本を凌駕《りょうが》し始めている現実に直面し、今後は世界の中における中国のポジションに目を向けなければならないということを痛感した。そして、これからは中国だけでなく、他のアジアの国々にも関心を向ける必要があることも感じた。

中日新聞静岡版　二〇一九年九月二二日

夜間教育実施大学の今

毎年十一月の初旬に東京で、「国立大学法人夜間教育実施大学学部長・第二部主事会議」が開催される。私も学部長に就任以来毎年この会議に参加しているが、夜間教育ならではの課題を持ち寄り、学部長同士で意見交換ができるのでとても有意義な機会である。

この会議がスタートしたのは、一九八四年。今年で三十五年目を迎えた。発足当初は「夜間主コース設置大学懇談会」と称していたが、その後会議名も変わり、二〇〇七年より現在の名称になった。

そして、参加大学も第一回は四大学（山形大、福島大、千葉大、愛媛大）であったが、その後増え、最盛期には全国三十二大学、四十一学部が参加した。しかし、〇四年頃をピークに参加大学が減り始め、今年は二十二大学、二十八学部の参加であった。この背景には、夜間主コースを廃止する大学が増えたことが挙げられる。つまり、近年国立大学の夜間教育に対する社会の要請や期待が大きく変わり、学部で行っていた社会人向け教育を大学院に移し替えるため、夜間主コースを廃止する大学が増えたのである。

現在、静岡大では人文社会科学部の法学科と経済学科に夜間主コースがあり、社会人と高校長推薦の二つの枠で学生を受け入れている。夜間主コースでは、十代後半から六十代、七十代まで幅広い年齢の学生が学んでいる点が昼間コースとは大きく異なる。そして、毎日午後五時五十分から九時まで（土曜日は午後二時二十五分から五時三十五分）、九十分の授業が二コマ開講される。

一方、大学院人文社会科学研究科でも有職者が学びやすいように授業を昼夜開講している。

最近、「人生百年時代」ということが言われるようになった。人生のさまざまな段階で学びたいと思った時に、大学が地域の人々に開かれていることが大切だ。私たちも社会の期待にどのようにこたえることができるか検討を行っている。

中日新聞静岡版　二〇一九年一一月一七日

中曽根康弘元首相関連資料

十一月二十九日、中曽根康弘元首相が百一年の生涯を閉じた。

その前日の二十八日、私は中曽根康弘事務所の井出廉子さんに電話し、静岡大学人文社会科学部へ送っていただいた、中曽根氏関連の資料のことでお礼を伝えた。その際、井出さんは中曽根氏に、静岡大学が冊子化された講演録や執筆された資料の一部を受け入れてくれたことを伝えると、とても喜んでおられたと話してくれた。それもあって、翌日の訃報には驚いた。

実は、今年六月十五日に東京で開催された静岡大学の全学同窓会の折、旧制静岡高等学校同窓会で代表幹事を務められた草野芳正さんに呼び止められ、相談を受けた。草野さんによれば、中曽根事務所から、中曽根氏の蔵書約一万冊を受け入れてくれるところを探しているが、静岡大学では可能だろうか、ということであった。中曽根氏は静岡大学人文社会科学部の前身である旧制静岡高等学校の卒業生であり、ぜひとも前向きに検討したいということを伝えた。

その後、大学で学長や図書館長とも相談したが、図書館は現在でも手狭で、一万冊もの書籍を受け入れる余裕はないとのことだった。そのため、人文社会科学部で何とかできないものかと検討を始めた。そして、学部棟の一階にある倉庫なら、何とか受け入れられるのではないかということになり、回答を草野さんに伝える運びになった。

しかし、ちょうどその頃、草野さんから連絡があり、中曽根事務所では貴重な蔵書があちこちに散逸することを防ぐため、高崎にある「青雲塾」に引き取っていただくことになったということを伝えてきた。

残念ではあったが仕方のないこととあきらめた。その後、中曽根事務所から、すでに述べたような資料が送られてきた。これらの資料は現在学部で整理し保管している。

今後も貴重な資料の一部を大切にしていきたいと考えている。

中日新聞静岡版　二〇一九年一二月一五日

大学教員と講義

後期の講義期間も余すところあとわずかになった。先日、五年前に退職され、その後も前・後期、週に一度非常勤を勤めてくださっているS先生と学部棟の廊下でお会いした。

現役の頃のS先生と私は学科も異なることからそれほど親しくお話をすることもなかった。しかし、私が学部長就任後、お顔をお見掛けした際にはあいさつをするようになった。

ある時には、私が寄稿した新聞のコラムを読まれ、「いつも楽しみにしているよ。毎回とても興味深い内容だけれど、表現が少し硬いね。もう少し柔らかくしてみたら」と感想を下さったこともある。まさに文学者からのアドバイスであり、参考になった。

そのS先生に先日お会いした際、「私も七十歳になったので、非常勤もこれで終わりです。でもこの五年間の講義が本当に充実していて、とても楽しかった。現職の時は、いつも学内の他の仕事と掛け持ちだったけれど、今は毎日、週一回の講義のことを考えていれば良いし、準備したことを講義の中で話すのが本当に楽しい」ということをお話しになった。

私はS先生が喜々としてそのことをお話しされるのを聞いて、大学教員にとって大切なことは、自身の研究成果を講義の中で学生にしっかり伝えることであるという、あまりにも基本的なことを忘れかけている自分に気づかされた。

近年私たち大学教員は、教育、研究、外部資金獲得、国際・社会貢献、管理運営等の観点から個人の業績が評価されるようになった。そのことに汲々《きゅうきゅう》としてしまい、本来大切にしなければならない、充実した講義を学生に提供するということを見失ってしまうこともあるように感じる。

S先生の講義は一コマ一コマに魂がこもり充実しているので、学生の満足度も高いと容易に想像できる。それこそが大学の講義の醍醐味《だいごみ》だと感じる。私もぜひS先生の姿に見習いたいと思った。

中日新聞静岡版　二〇二〇年一月二六日

人文・社会科学の今後

国の科学技術・学術審議会分科会が二〇一二年に「リスク社会の克服と知的社会の成熟に向けた人文学及び社会科学の振興について」という報告書を明らかにした。それは、社会が抱える課題解決に向けて、人文学・社会科学の研究成果を生かし、加えて他の学問領域を含めた「先導的な共同研究」の推進をねらったものだ。その報告を受けて、日本学術振興会は一三年より「課題設定による先導的人文学・社会科学研究推進事業」をスタートさせた。

先日、その事業に採択された研究の成果報告を中心としたシンポジウムが開催され、私も参加した。

このシンポジウムでは一四年と一五年に採択され、その後三年余りにわたって実施された四つのテーマについて成果報告がなされた。それらは、「社会価値の判断メカニズム」「高齢者の生活行動」「災害伝承」「多世代協働による生活支援」といった内容であり、まさに現代日本社会が抱える課題解決に切り込んだ研究であった。研究の内容はかなり実践的な側面を有していたが、今後、その成果をいかに社会で生かすことができるのか、その点が重要であると感じた。

近年、人文学・社会科学に対する風当たりは決して穏やかではない。しかし、複雑化・高度化した現代社会の諸問題を解決するためには、文理融合型の研究成果が求められ、それらが社会に還元されていくことが期待されているといえる。

これから国は「科学技術基本法」の改正に向けての検討を始めようとしている。その中では、現行法の対象から外されていた、人文・社会科学も含め、科学全般の振興を目指す内容になる可能性が高い。そして、「イノヴェーションの創出」という項目も今回の改正の目玉になるようだ。

このような時代背景の中で、私自身が身を置く、人文・社会科学の学問領域がどのような社会貢献ができるのか考えていきたい。

中日新聞静岡版　二〇二〇年二月二三日

コロナ禍と大学の授業

新型コロナウイルスの感染拡大により、大学の日常の風景が変わりつつある。何よりも対面式で行われてきたこれまでの授業に、非対面式を採り入れることになったことが大きい。

静岡大学では、四月三十日から非対面式授業が始められた。基本的には、「学務情報システム」という大学のポータルサイトへ学生がアクセスし、必要な情報を入手して独自に学びを進めるという形だ。つまり、オンデマンド方式での授業。当初は、学生ばかりでなく、授業を担当する教員も慣れていないため、戸惑うことが多かった。しかし、教員側も事前の準備を周到に行い、新たな取り組みに対応している。

授業の準備にあたっては、学内の大学教育センターや情報基盤センター所属の教職員が連携して、授業展開の基本的な枠組みを作成した。教員は、その枠組みに沿って、教材作成からポータルサイトの活用の方法まで、アドバイスを受けながら授業の内容を詰めていった。

オンデマンド方式の授業に期待を寄せ、動画などを使った授業を準備した教員も多い。私自身は、教材作成に関して高いスキルを持っていないため、背伸びをすると続かなくなると思い、学生にはテキストを読ませ、その解説をするような教材を準備し、授業を進めている。そして、学生たちには、一回の学習終了ごとにコメントを提出させている。このコメントを読むことによって、授業内容を理解しているかどうか判断することができる。このような形での授業が始まって一カ月以上経過したが、大きな混乱もなく順調に進んでいる。

六月八日からは、語学など一部の授業で対面式が導入された。対面授業実施にあたっては「三密」を避け、教室は収容定員の三分の一以下で行うことを条件にしている。こうして、前期中は、対面式とオンデマンドの双方の授業が並行することになる。

この数カ月の経験は、今後の大学での教育研究や教職員の会議の実施方法などを含め、そのあり方を大きく変えることになりそうだ。

中日新聞静岡版　二〇二〇年六月一四日

おわりに

私自身はこれまで、地方政治や地方行政に関心をもち、それを軸にして大学での教育研究を行ってきた。静岡に暮らしてからもう四半世紀になる。この間に仕事柄、新聞やテレビなど報道機関の関係者とは多く出会ってきた。特に記者の方々とは、直接の面会や電話で話すことも多かった。そして、国政選挙をはじめ県知事選挙の際には、テレビの特番に出演しコメントをする機会もいただいた。それらは私自身にとっても貴重な経験となった。

そのような報道機関の方々とのお付き合いの中で、ある時に新聞のコラム欄への執筆の依頼を受けたのである。その時のことは今でも鮮明に思い出すが、二〇一二年一一月二九日、当時中日新聞静岡総局長の小寺勝美さんと同じく静岡総局デスクであった鎮西努さんと三人で会食した時のことであった。それ以来、「静岡発こう読む」というコラム欄への月一度の寄稿も早八年目に入った。私の寄稿を担当するデスクは鎮西努さん、細井卓也さん、そして豊田雄二郎さんと変わったが、私の拙い原稿にいつも真摯に向き合って下さり、常に読みやすい原稿になるよう配慮して下さった。そのことにこの場をお借りして心よりお礼を申し上げたい。

　また、二〇一七年二月からは、当時朝日新聞静岡総局で記者をしておられた床並浩一さんから声をかけていただき、コラム欄「だもんで」へ寄稿することになった。こちらの方は、ちょうど二年間お世話になった。私の担当は床並浩一さん、大内悟史さん、阿久沢悦子さんと変わったが、私の原稿に常に適切なコメントを返していただき、それが私自身にとってとても良い勉強になった。そして静岡総局長であった田中敏行さんからはいつも温かい言葉をかけていただいた。朝日新聞静岡総局の皆様にも心からの感謝をお伝えしたい。

「だもんで」の方は三人で執筆することになっていたため、月に二回寄稿することもあり、その時には二つの新聞に合わせて三本のコラムを執筆することもあった。その時は、常にコラムのことが頭を離れず、他のことに手がつかないこともあったが、今になって思えばあれこれと思いをはせることも意外に楽しかった。何をテーマにするのかということで時間を割くことが多かったが、静岡に軸足を置きつつも、その時々の日本や世界の政治・経済・社会情勢の中から私自身が興味・関心を持ったことを選んで執筆してきた。すぐにテーマが決まる場合もあれば、時間がかかる時もあったが、何とか締め切りだけは守り通すことができた。

　こうして、私のコラムも平成から令和へと時代の変わり目を経験することになり、これまで書いたものをこのあたりで一つにまとめてみたいと思い立ち、地元静岡に根を下ろして出版を続けている羽衣出版の松原正明さんに相談することにした。そして、松原さんからは的確なアドバイスをいただき、本書の出版にこぎつけることができた。松原さんには大変お世話になり心よりのお礼をお伝えしたい。

私自身はコラムニストでもなく、一介の大学教員であるが、自分の感性と感覚で地域社会を眺望してみた。本書を手に取る方々に、少しでも私の思いを伝えることができれば望外の喜びである。

最後になるが、刷り上がったばかりの最初の一冊は、私のことをいつも優しいまなざしで見守ってくれる最愛の妻・百合子へ感謝を込めて渡したいと思う。

令和二年六月二二日

日詰一幸

〈著者紹介〉

日詰 一幸（ひづめ かずゆき）

1955年生まれ、長野県出身。
名古屋大学大学院法学研究科博士後期課程中途退学。
名古屋音楽大学専任講師（一般教育）を経て、1996年静岡大学人文学部助教授。2000年より静岡大学人文学部教授（2012年学部名称変更により静岡大学人文社会科学部教授）、現在に至る。この間、2000年4月から2001年9月までニューヨーク市立大学都市調査センター客員研究員として大都市における政治行政および非営利組織の役割と機能に関する研究に従事。専門は、行政学、地方自治論、NPO論など。

時代の変わり目の静岡
——コラム・2013～2020

2020年8月29日発行
定価 本体1,364円＋税

著　者　日詰一幸

発行人　松原正明
発　行　羽衣出版
〒422-8034
静岡市駿河区高松3233
TEL 054-238-2061
FAX 054-237-9380

ISBN978-4-907118-56-3 C0030 ¥1364E